D0636181

Klas van 25

Het geheim van Luuk

In de serie *Klas van 25* zijn de volgende delen verschenen:

Hartsvriendinnen
Het geheim van Luuk

Klas van 25

Het geheim van Luuk

Ada Ooms

Met dank aan Dierentehuis Midden-Holland

Nur: 283/GGP090801

Omslagontwerp: Design Team Kluitman

www.kluitman.nl

Bij Koninklijke Beschikking
Hofleverancier

Hoofdstuk 1

'Een hond, het liefst van alles wil ik een hond,' zegt Melanie.

Luuk kijkt haar plagerig aan.

'Je hebt er al... hoeveel?' Hij wijst naar de verzameling knuffelhonden op haar bed en op de plank erboven. 'Honderd. Minstens!'

Melanie pakt de dichtstbijzijnde, een Snoopy, en gooit hem naar zijn hoofd.

'Een échte!'

'Nah, je weet best dat je die niet krijgt.' Gelukkig niet, denkt hij.

'Krijgen niet, nee, maar daarom kan ik er wel een wíllen.'

Over twee weken is Melanie jarig en nu maakt ze een verlanglijstje. Luuk denkt mee. Luuk doet altijd mee. Hij is haar buurjongen, maar hij lijkt meer haar broer dan haar echte broer Bart. Ze zijn dan ook praktisch samen opgegroeid. Boven Melanies bureau hangt een foto waarop ze samen in de box zitten. Als haar moeder niet thuis was, paste Luuks moeder op haar en omgekeerd. En omdat zijn vader bij hen is weggegaan toen Luuk nog een baby was, beschouwt hij haar vader een beetje als de zijne. Ze hadden samen een zandbak, ieder de helft in hun eigen tuin.

En op school vindt iedereen het doodnormaal dat ze altijd bij elkaar zijn. Melanie en Luuk, patat met mayonaise, donder en bliksem, Belle en het Beest, kortom: een onafscheidelijk duo.

'Vraag een iPod,' stelt Luuk voor. 'Of een Xbox!' Hij prutst aan de muis van haar computer.

'Mijn vader ziet me aankomen. Veel te duur natuurlijk.'

'O ja, en een hond kost zeker niks.'

'Ik hoef geen ras. Gewoon een boerenhondje. Dat hoeft helemaal niet duur te zijn.'

De vader van Melanie is dierenarts en tot zijn klanten behoren ook enkele boeren uit de omgeving. Als hij een zieke koe moet behandelen, mag ze wel eens mee. Niet voor de koe, maar voor de honden op zo'n boerderij. Zeker als er puppy's zijn, vindt ze dat fantastisch.

Maar zélf een hond hebben, dat zou het aller-allergaafste zijn. En dat kan nou net niet als je een moeder hebt die allergisch is.

'Ik snap er niks van,' zegt ze. 'Welke dierenarts trouwt er nu met een vrouw die allergisch is voor dierenhaar?'

'Misschien kwamen ze daar later pas achter,' bedenkt Luuk. Hij heeft de muis inmiddels uit elkaar geschroefd. 'Hoe lang heb je dat ding al niet schoongemaakt?'

Melanie haalt haar schouders op. 'Later neem ik er lekker drie!'

'Muizen?'

'Honden, gek. Een golden retriever, een boerenhondje en een teckel, een ruwharige teckel.'

'Een bezem zonder steel,' grinnikt Luuk.

'Joh, kijk jij eens lekker naar jezelf, steel zonder bezem!' Ze tekent een lange lucifer op haar verlanglijstje met vier streepjes als armen en benen en krast er met hanenpoten *LUUK* onder.

'Je portret,' lacht ze. 'Jij hebt amper haar en het enige wat dik aan je is, is je neus.'

Luuk wrijft over zijn korte haar, voelt aan zijn neus en schenkt haar dan zijn superglimlach.

Met die tanden kan hij zo in een tandpastareclame, denkt Melanie. Terwijl hij nooit bij een orthodontist is geweest. Jaloers voelt ze met haar tong langs haar slotjes. Ze grijnst naar haar verlanglijstje. Onder *1. Een HOND* schrijft ze: *2. Nooit meer naar de orthodontist en toch mooie tanden*.

'Jij bent toch niet allergisch?' vraagt ze opeens.

'Nee nee, ik niet.' Ze moest eens weten, denkt hij en hij begint gauw over wat anders. 'Ik wou dat ik allergisch was voor school. Hoefde ik morgen niet, nóóit niet.'

Melanie vindt het stom. 'Dan had je vorige week ook niet meegekund op schoolkamp.'

Luuk moet toegeven dat dat wel jammer geweest was. 'Wat was het gaaf, hè? Vooral het hutten bouwen!'

Ze hadden een hele ochtend lopen slepen met pallets en oude planken, die speciaal daarvoor achter de kampeerboerderij lagen. De meester wees twee stukken bos aan waar gebouwd mocht worden. Sommige hutten werden slim en stevig in elkaar gezet, maar andere stortten al bijna in als iemand een keer flink nieste.

'Hessel was er handig in, joh!' Luuks ogen schitteren bij de herinnering. 'Hij had bedacht om onze hut tegen de stam van een vliegden te bouwen. Hingen die lage takken er mooi overheen.'

Melanie knikt. 'Wij wilden onze hut ook camoufleren. Gingen we afgewaaide takken zoeken en Julia vond een hele grote. Maar toen we die met z'n allen op het dak gooiden, zakte de halve hut in elkaar.'

Luuk schudt meewarig zijn hoofd, maar Melanie ligt in een deuk. 's Middags hadden ze vlaggenroof gespeeld, waarbij voor elke partij een hut dienst had moeten doen als gevangenis. 'De onze niet dus,' lacht ze. 'Die van jullie was echt gaaf.' Ze was heel vaak gevangengenomen en had alle tijd gehad om hun hut goed te bekijken.

Opeens betrekt haar gezicht. 'Weet je wat raar was? Toen Yasmin gepakt was, wilde ze er niet in.'

'Dat is een ziekte,' zegt Luuk. 'Iets met fobie, kau... klus...'

'Claustrofobie,' weet Melanie. 'Nou, volgens mij kon ze gewoon niet tegen haar verlies en is ze daarom weggelopen.'

'Nah,' bromt Luuk en hij verdiept zich weer in de muis.

Op de trap klinken voetstappen: Melanies vader verschijnt in de deuropening.

'Ik moet naar een patiënt in Oostsluisjesdijk. Zin om mee te gaan?'

Ze twijfelt.

'Puppy's,' voegt hij eraan toe.

Het is een toverwoord. Ze springt op en geeft Luuk een duwtje. 'Ga je ook mee?'

'En dit zieke beest dan?' Hij wijst op de onderdelen van de muis, die verspreid over het bureau liggen. 'Dat moet toch ook behandeld worden? Laat mij maar, en als hij beter is, ga ik naar huis.'

'Oké.' Melanie slaat even met haar linkervuist tegen die van Luuk en huppelt dan achter haar vader aan de trap af.
Even later zit ze naast hem in de auto. Ze rijden de straat uit langs het park, passeren de brug over het kanaal en slaan de weg door de polder in. In de weilanden grazen zwartbonte koeien, en vliegtuigen trekken witte strepen door het blauw van de hemel.

'Zijn die puppy's zo ziek dat je er op zondagmiddag heen moet?' vraagt Melanie.

'Nee, we gaan naar een boerderij voor een zieke koe. Ik was daar al eerder en toen zag ik dat hun hond jonkies had. Ze zijn nog geen week oud.'

'Gaaf! Dat Luuk dat nou zomaar aan zijn neus voorbij laat gaan!' Ze glimlacht. 'Echt Luuk. Heeft gewoon niks met honden.'

Haar vader trekt even zijn wenkbrauwen op en concentreert zich op de weg. Met dit mooie weer zijn er veel fietsers op de Oude Dijk. Het is warm in de auto en Melanie doet het raampje open. De wind trekt aan haar blonde krullen alsof ze eraf moeten. Bij een huis aan de rand van het dorp leunt een meisje verveeld tegen een hek.

'Yasmin!' roept Melanie. Ze zwaait, maar ze zijn er voorbij voordat Yasmin haar herkend heeft. 'Dat is een van de nieuwen in mijn klas,' legt ze uit.

'Van de Wilhelminaschool, die gesloten moest worden,' weet haar vader. 'Die kinderen wonen natuurlijk hier. Hoe vind je ze eigenlijk?'

Melanie denkt voor de tweede keer die dag terug aan de

schoolreis. 'Leuk! Vooral Tinka. Ze was eerst wel verlegen, maar later deed ze toch gewoon mee. Zelfs met de nachtwandeling.'

'Hoezo, "zelfs"? Iedereen moet toch zeker met alles meedoen?'

'Dit was alleen met mijn eigen tent. Stiekem!' Melanie grinnikt bij de herinnering.

'Foei toch,' zegt haar vader. Maar dat meent hij niet. 'En verder?'

'Sasja, de vriendin van Tinka, is ook aardig. Beetje stom dat ze eerst met Frederieke optrok. Later kwam ze bij ons in de tent.' Ze zwijgt even en gaat dan een beetje verbaasd verder. 'Ik weet eigenlijk niet eens waarom dat mocht.'

'En die Yasmin, die we net zagen?'

'Oooh páp, weet je wat zij...' begint Melanie, maar ze breekt haar zin opeens af. Ze kijkt even opzij naar het gezicht van haar vader. 'Heeft mama dat niet verteld?'

Hij schudt zijn hoofd. Melanie vraagt zich af of ze alles zal vertellen. Het was een spannend avontuur geweest, maar ook een beetje dom.

'Nou?' dringt haar vader aan.

Ze haalt haar schouders op. 'Lang verhaal. Zijn we er al bijna?'

'Die boerderij daar,' wijst haar vader. 'Met dat rieten dak.'

'Dan vertel ik het later wel,' zegt Melanie.

Ze draaien het erf van de boerderij op. Terwijl ze uitstappen, komt de boer naar buiten met twee meisjes van Melanies leeftijd. Melanie kijkt, schudt haar hoofd van verbazing, kijkt nog eens goed en...

'Sasja! Tinka! Wat doen jullie hier?'

De twee meisjes zijn net zo verbaasd als zij. 'Melanie!'

Dan tetteren ze alle drie door elkaar, totdat Melanie zich opeens omdraait.

'Papa, wist jij dat? Sasja woont hier!'

Zijn antwoord hoort ze niet, want Sasja en Tinka staan aan haar te trekken.

'Kom mee naar binnen, je moet de hondjes zien. Zo lief, zó lief!'

De mannen lopen naar de stal waar de zieke koe is en Melanie wordt door Sasja en Tinka meegenomen het huis in. Binnen legt Sasja haar vinger op haar lippen.

'We moeten nu heel rustig zijn, anders vindt Viola het niet goed.'

'Viola is de moederhond,' zegt Tinka tegen Melanie.

Sasja doet de deur naar een grote woonkeuken open. Onder een schouw staat een zwarte kachel en in de hoek daarnaast een rieten mand met een bruine hond erin. Ze lijkt een beetje op een herder, maar dan kleiner en met langer haar. De jonkies kan Melanie zo uit de verte niet goed zien.

Wacht even, gebaart Sasja. Ze knielt naast de mand en aait de hond over haar kop.

'Hé Viola, zijn je kindertjes wakker? Mag mijn vriendinnetje ze wel zien? Je bent lief, hoor.'

Dan wenkt ze de twee meisjes die nog bij de deur staan. 'Kom maar.'

Heel rustig lopen ze naar de mand en gaan ernaast zitten. Viola kijkt hen oplettend aan. Melanie steekt haar hand uit en laat de hond snuffelen. Ze wordt goedgekeurd, want het dier kwispelt een paar keer en legt dan haar kop op het kussen. Tussen haar poten liggen twee zwarte en drie bruine puppy's ijverig te drinken. De oogjes zijn gesloten en de flapjes van hun oren liggen plat. Maar o, wat zijn ze schattig!

'Wat een snoepies! Wat een droppies!' fluistert Melanie. Ze beweegt haar hand naar een van de kleintjes en Viola tilt meteen haar kop op.

'Jij past goed op je kindertjes,' prijst Sasja. 'We doen niks hoor, alleen even voorzichtig aaien.' Met een vinger streelt ze over het ruggetje van een pup. Viola vindt het goed en zelfs Tinka en Melanie mogen de puppy's aanraken.

'Wat lief! En zo lekker zacht! Dit zijn echt de schattigste die ik ooit gezien heb.' Dat zegt Melanie elke keer als ze jonge hondjes ziet en elke keer meent ze het. Als ze toch ooit zo'n hondje zou mogen hebben, dan zou haar leven perfect zijn, denkt Melanie.

Een pup tilt zijn kopje op, het roze tongetje steekt naar buiten. Dan kruipt hij over zijn broertjes en zusjes heen tot hij vlak bij de kop van zijn moeder is.

'Hij gaat haar bedanken voor de lekkere melk,' zegt Sasja.

Viola likt zijn buik en de pup tijgert terug naar zijn oude plekje.

'Hij ziet niks en toch weet hij precies waar hij moet zijn,' verbaast Tinka zich.

'Blind én doof,' weet Melanie. 'Alleen zijn neusje doet het goed. Hij ruikt waar de melk is.'

De andere hondjes worden onrustig van hun wriemelende

broertje en Viola probeert ze allemaal tegelijk te likken.

'Nu moeten we ze met rust laten,' vindt Sasja. 'Gaan jullie mee naar buiten?'

Melanie zucht. 'O, ik zou er de hele dag wel bij kunnen zitten. Alleen al om te kijken!'

'Je mag best nog eens komen,' zegt Sasja. 'Na schooltijd misschien?'

'Doe ik,' belooft Melanie.

Buiten staat haar vader bij de auto. Ze stappen in en rijden het erf af, nagezwaaid door Sasja en Tinka.

Als de meiden uit het zicht verdwenen zijn, draait Melanie zich om, haalt diep adem en barst los: over hoe lief ze zijn en hoe klein en hoe schattig! 'En eentje stopte met drinken en toen stak zijn tongetje nog naar buiten. Zó klein en zó mooi roze. De moeder heet Viola, pap, en écht, je hebt nog nooit een hond gezien die zó lief is voor haar kleintjes!' En als ze alles, echt alles verteld heeft, begint ze gewoon van voren af aan, tot ze thuis zijn.

'Einde van de rit,' zegt haar vader. 'Stap jij maar uit, dan ga ik nog even door naar de praktijk.'

De dierenartsenpraktijk bevindt zich in het park, in hetzelfde gebouw als Dierentehuis Groenhove. Behalve dat er mensen met hun eigen hond of kat op het spreekuur komen, behandelt haar vader daar ook de dieren van het tehuis. Melanie komt er graag. Eigenlijk is het een asiel, maar het is er zo gezellig, echt een thuis voor de dieren.

'Mag ik mee?'

'Er is nu niks te beleven. Ik moet alleen wat formulieren

ophalen die ik vanavond nog moet invullen.' Hij kijkt op zijn horloge. 'Half vijf. Mama kan elk moment thuiskomen en dan is het gezellig als er iemand is. Kun je haar meteen alles over de puppy's vertellen. Zet maar vast koffie, ik kom ook gauw.'

Melanies moeder is verpleegkundige en draait af en toe een zondagsdienst. Dat is niet leuk, maar ja.

In de keuken schenkt Melanie een glas sinaasappelsap in en daarna loopt ze zingend de trap op. 'Altijd is Kortjakje ziek, midden in de week maar 's zondags niet.'

Bij de computer ligt een briefje: *Je muis leeft weer. Ik ben naar het zwembad. Xieje.*

Ja, morgen weer, denkt Melanie. Zwemmen! Ze kan het net goed genoeg om niet te verdrinken en ze vindt er niks aan. Luuk wel. Hij zit op waterpolo en is er hartstikke goed in. Beneden hoort ze een deur slaan. Haar moeder komt thuis. Melanie springt op. 'Mám,' gilt ze, 'moet je nou eens horen!'

HOOFDSTUK 2

'Goeiemorgen, allemaal!'

'Goeiemorgen, meester.'

Ze zitten in de kring, de eerste keer na de grote vakantie, de eerste keer in groep acht. Vorige week zijn ze op kamp geweest om kennis te maken met de nieuwe kinderen die bij hen in de klas gekomen zijn: Sasja, Tinka, Yasmin en Hessel. Vanaf vandaag begint het gewone schoolleven weer.

'Wie wil er iets vertellen?' vraagt meester Leo.

Als vuurpijlen op oudejaarsavond schieten de vingers de lucht in.

'Maar niet over het schoolkamp,' voegt hij eraan toe. 'Daar maken we later vandaag een opstel over.'

De meeste vingers zakken weer terug. Sasja krijgt de eerste beurt. Als ze alles heeft verteld over de puppy's, mag Mustafa. Natuurlijk gaat het over de voetbalwedstrijd van gisteren.

'Met 2-0 gewonnen en ik heb een strafschop gehouden.'

Dan is Shanna aan de beurt.

Sasja stoot Melanie voorzichtig aan. 'Wie is dat? Waarom was zij niet mee op schoolreis?'

'Mocht niet van haar ouders.'

Sasja's ogen rollen bijna uit haar hoofd.

Melanie vangt een waarschuwende blik op van de meester en krijgt een nieuwe por van Sasja. 'Iets met hun geloof,' fluistert ze, bijna zonder haar lippen te bewegen. Ze schudt kort haar hoofd, zodat Sasja niet doorvraagt.

Shanna heeft een krantenknipsel bij zich. 'Het stond een paar weken geleden al in de krant. Ik heb het al die tijd bewaard, omdat ik het zo erg vond.' Dan begint ze hardop te lezen:

'Verwaarloosde dieren in beslag genomen

In een eengezinswoning in de Havenbuurt heeft de politie vrijdagavond elf honden in beslag genomen. Buren hadden geklaagd over lawaai en stankoverlast. De zwaar ondervoede dieren zijn ondergebracht in Dierentehuis Groenhove aan de Parkweg. Vier bouviers waren zo ziek dat ze niet meer gered konden worden.'

Als Shanna zo ver is, roepen de andere kinderen opeens van alles door elkaar. Shanna's stem verdwijnt in het rumoer.

'Dierenbeulen!'

'Wie doet er nou zoiets?'

'Naar de gevangenis met zo'n engerd en lekker laten verhongeren.'

'Het is toch zielig, meester? Zo ga je niet met dieren om.'

Shanna kijkt met vochtige ogen de klas rond. 'Dit kán gewoon niet! Dieren zijn afhankelijk van mensen. Als je een dier hebt, moet je er goed voor zorgen. Dierenmishandeling is strafbaar!'

'Dan moeten ze in zo'n krant de straf er ook bij zetten,' vindt Mees. 'Hoeveel boete of hoelang gevangenisstraf. Anders helpt het niet.'

'Honderdduizend euro,' roept iemand.

'Een miljoen! En een jaar de bak in.'

'Eén jaar maar? Levenslang!'

'Drie keer levenslang,' vindt Alex.

Om die opmerking wordt gelachen. 'Dat kan natuurlijk niet.'

Maar Alex houdt vol. 'In Amerika doen ze dat wel.' Alex' vader woont in Amerika, dus hij kan het weten.

Even is het stil. Shanna maakt snel gebruik van de gelegenheid. 'Het stukje was nog niet uit.'

'Sorry Shanna, lees maar verder,' zegt de meester.

'Volgens een medewerker van het dierentehuis zal het zeker weken tot maanden duren voordat vijf andere honden voldoende hersteld zijn om bij een nieuw baasje geplaatst te kunnen worden. Twee pitbulls worden waarschijnlijk afgemaakt.'

'Afgemaakt?' roept Anouk vol afgrijzen. 'Dat mag toch niet zomaar?'

'Pitbulls zijn toch gevaarlijke vechthonden?' twijfelt Mees.

'Alleen als je ze daarvoor traint,' weet Yasmin. 'Mijn oom had vroeger een pitbull, een hartstikke lief beest.'

Frederieke kijkt Melanie aan. 'Jouw vader werkt toch in dat dierentehuis?'

Melanie knikt, maar ze kan zich niet herinneren dat haar vader iets gezegd heeft over pitbulls.

'Dus hij gaat die dieren afmaken? Of heeft hij het al gedaan?'

Frederieke trekt er haar meest geschokte gezicht bij. De andere kinderen houden hun adem in.

'Nou, heeft hij ze afgemaakt?' dringt Frederieke aan.

'Dat heet niet afmaken, maar in laten slapen,' zegt Melanie.

Alex snuift en maakt een afwerend gebaar met zijn hoofd. 'Afmaken, inslapen, wat maakt het uit? Aan het eind zijn ze toch dood.'

Er gaat een instemmend gemompel door de klas.

'Maar dat doet hij alleen als het echt niet anders kan,' verdedigt Melanie haar vader. 'Alleen als ze doodziek zijn en niet meer beter kunnen worden.'

'Maar in de krant staat helemaal niet dat ze ziek zijn,' zegt Fredje fel.

Melanie haalt haar schouders op en kijkt om zich heen op zoek naar hulp. Sasja's gezicht is een vraagteken en Julia en Tess kijken dommig voor zich uit. Luuk dan? Luuk zit naast zijn beste vriend Alex, die met brede armgebaren tegen hem praat. Tinka voert een felle discussie met Anouk. Mees en Hessel zijn van hun stoel gesprongen en staan nu vlak voor Frederieke. Mees wijst naar haar met zijn vinger en Hessel knikt heftig.

Het ene kind schreeuwt nog harder dan het andere en niemand luistert nog naar een ander, totdat Frederieke het woord 'moordenaar' roept. Dat horen ze opeens allemaal.

Er valt een doodse stilte, waarin iedereen naar Melanie kijkt. Nu zou ze iets moeten zeggen, maar haar tong lijkt verlamd. Haar vader staat dag en nacht klaar om zieke dieren te helpen en dan zegt die stomme Frederieke dat haar vader een... Melanie kan het woord niet eens denken. Haar ogen schieten vuur en ze klemt haar kiezen op elkaar. Dan klinkt de rustige stem van meester Leo. 'Er is geloof ik een wet voor. Hoe het precies zit, weet ik ook niet, maar de vader van Melanie zal heus wel weten wat hij doet.'

Melanie is blij met zijn steun, maar dan ziet ze de boze blik waarmee Frederieke naar haar vader kijkt.

'En toch is het gemeen om onschuldige dieren...' Haar hoofd draait naar Melanie en ze maakt haar zin af met extra nadruk op de laatste woorden: '...af te maken.'

Nu wordt Melanie pas goed kwaad. Haar ogen branden, maar ze weet de tranen weg te knijpen. De meester kijkt zijn dochter streng aan. 'Natuurlijk mag je voor je mening uitkomen, Frederieke, maar je moet eerst goed nadenken voor je wat zegt. Melanies vader doet gewoon zijn werk en daar kan Melanie niets aan veranderen.' Dan kijkt hij de klas rond. 'Is er iemand die iets anders wil vertellen?'

Melanie luistert niet meer. Ze ziet de afdrukken van haar nagels in haar handpalmen. Meestal is ze niet lang kwaad, maar deze opmerking van Frederieke zal ze niet gauw vergeten.

Het kringgesprek kabbelt voort, maar na de opwinding van daarstraks is eigenlijk niemand meer geïnteresseerd in verhalen over een barbecuefeest met de hele straat of een bezoekje aan een zieke oma. Het is een opluchting als de kring afgesloten wordt en iedereen zelf een plaatsje in de klas mag kiezen.

'Voorlopig,' zegt meester Leo erbij. 'Als het me niet bevalt, of als je je niet goed gedraagt, zet ik je zo ergens anders.'

Melanie trekt Julia mee naar de zijkant van het lokaal.

'Naast elkaar, net als vorig jaar?' vraagt Julia volkomen overbodig.

Luuk en Alex bezetten de twee achterste tafeltjes in die rij. Sanne en Tess zitten ook in de buurt. Melanie wenkt Tinka en Sasja, die twijfelend rondkijken.

'Kom gauw,' roept ze en ze wijst op de tafeltjes voor haar. 'Lekker ver bij het bureau van de meester vandaan. Hij hoeft niet alles te zien wat we doen,' voegt ze er zachtjes aan toe.

'Maar ik hoor wel alles.' De meester heeft de spellingschriften al uit de kast gepakt en staat dichterbij dan Melanie in de gaten had.

Geschrokken kijkt ze naar hem op, maar ze moet er ook om lachen.

Hij geeft haar een knipoog en geeft haar de schriften aan. 'Deel jij ze even uit?'

In de pauze beginnen sommige kinderen weer over de honden, maar Melanie roept dat ze daar nu helemaal geen zin in heeft. Touwtjespringen met het lange touw, dat wil ze, of iets anders waarbij je moet rennen. In elk geval iets wilds, dan kunnen ze het later nog wel eens over die honden hebben. Later, als ze er met haar vader over gepraat heeft. Want ze wil eerst precies weten hoe het zit met die pitbulls.

Om twaalf uur loopt ze met Luuk naar huis. Hij schopt tegen een steentje en probeert het tegen een lantaarnpaal te mikken. Als dat lukt, brengt het geluk, zegt hij altijd.

In de verte komt een man met een hond aanlopen. Als hij dichterbij komt, geeft Luuk een trap tegen het steentje, dat helemaal naar de overkant vliegt.

'Dat is wel heel erg mis,' lacht Melanie.

Luuk steekt de straat over om het steentje te zoeken. De hond snuffelt aan de lantaarnpaal en tilt zijn poot op. Het is een beetje dikke labrador met een glanzende vacht en Melanie denkt terug aan het kringgesprek over de verwaarloosde honden. Een stuk verderop komt Luuk weer naast haar lopen. Zonder het steentje.

'Kon het niet vinden,' zegt hij. 'En een nieuw steentje telt niet.'

Melanie luistert maar half. 'Wat vond jij er eigenlijk van? Van die honden en van Frederieke?'

'Nah, ik vind het wel best.' En als Melanie hem vragend aankijkt, voegt hij eraan toe: 'Dat ze die beesten afm... eh... in laten slapen.'

'Waarom zei je dat dan niet?'

Luuk haalt zijn schouders op.

'Ze begrijpen er gewoon niks van,' moppert Melanie. 'Fredje niet en Alex ook niet.'

'Hé, Alex is wel mijn vriend, hè!'

'Lekkere vriend! Je hebt hem toch wel verteld hoe jij erover denkt?'

Luuk mompelt iets onverstaanbaars. Melanie kijkt met gefronste wenkbrauwen naar hem en zegt niks meer tot ze bij zijn huis zijn. Haar moeder is vandaag in het ziekenhuis en haar vader blijft tussen de middag vaak in de praktijk.

Daarom eet ze bij Luuk. Als ze binnenkomen, ziet ze een stapel pannenkoeken op de tafel staan.

'Heerlijk,' roept ze. Maar al na de tweede met stroop heeft ze geen trek meer. Luuk wel. Hij eet er met gemak zes. Soms doen ze wie er de meeste op kan, maar daar heeft ze nu helemaal geen zin in.

Luuks moeder merkt het. 'Je bent toch niet ziek?'

Melanie schudt haar hoofd en staat op om naar de wc te gaan.

'Weet jij wat er met haar is?' vraagt Luuks moeder aan hem.

Luuk trekt een onverschillig gezicht. 'Beetje gezeur in de kring vanmorgen.'

'Gezeur?'

'Nah, over verwaarloosde honden of zoiets.'

'Verwaarloosde honden?'

Luuk pakt nog een pannenkoek. 'Zeven!'

'Zeven honden?'

'Pannenkoeken.' Hij schrijft zijn naam met stroop op de pannenkoek, rolt hem op en neemt een grote hap.

'Kom op, Luuk,' houdt zijn moeder vol. 'Je draait eromheen. Wat voor gezeur?'

Hij wrijft over het litteken op zijn schouder. Toen hij een ukkie van drie was en in zijn onschuld een grote hond wilde aaien, heeft dat beest hem zo hard gebeten, dat de wond in het ziekenhuis gehecht moest worden. Hij was zich helemaal te pletter geschrokken. En sinds die dag is hij hartstikke bang voor honden. Maar dat hoeft Melanie niet te weten.

Het litteken is nog altijd zichtbaar. Ze heeft er eens naar gevraagd toen ze een dagje naar het strand waren en ze zijn rug insmeerde met zonnebrandcrème. Hij had iets gemompeld over vallen tegen een hek met roestige spijkers.

Luuk slikt een hap pannenkoek door. 'Gewoon, gezeur! Met Frederieke en over honden en ze vindt dat ik er iets over had moeten zeggen en hou nou maar op! Straks hoort ze het nog!' Hij wijst met een stroopduim naar de gang.

Melanie zou het belachelijk vinden. Iemand die bang is voor honden is een watje, zegt ze. Daarom houdt hij zich tegenover haar altijd groot. Maar op straat loopt hij met een boogje om die bijtbeesten heen. En hij is blij dat haar moeder allergisch is, anders kreeg ze vast een hond voor haar verjaardag en dan kon hij niet eens meer bij haar thuis komen.

Als Melanie weer aan tafel zit, vraagt ze of Luuks moeder een keer iets in de krant heeft gelezen over verwaarloosde honden.

Maar voordat die antwoord kan geven, staat Luuk op. 'Ga je mee? Ik heb met Alex afgesproken om te voetballen.' Een van de beste dingen van de Springplank vindt hij het trapveldje naast de school.

Melanie kijkt op de keukenklok. Het is nog vroeg, maar alleen lopen is niet half zo gezellig. Ze krijgen allebei een appel voor onderweg en dan gaan ze.

HOOFDSTUK 3

In een zijstraat vlak bij de school komen ze Frederieke en Veerle tegen.

'Hé, Melanie,' roept Frederieke vriendelijk. 'Hallo Luuk!'

Melanie vertrouwt het voor geen meter. Frederieke vriendelijk? Ze komt zelfs naast hen lopen.

'Jeetje Melanie, je bent al zo groot, kun je nou nog steeds de weg niet in je eentje vinden?'

Zie je wel, denkt Melanie. 'Jij blijkbaar ook niet!' zegt ze tegen Frederieke en ze wijst op Veerle.

Luuk grinnikt. Hij ziet Alex en Mustafa op het veldje naar hem zwaaien. Hij steekt zijn linkervuist omhoog en Melanie geeft er met de hare een tik op. 'Xieje!' En weg rent Luuk.

'Nou ja, zeg!' Frederieke trekt haar wenkbrauwen op. 'Is dat alles?'

Inmiddels zijn ze bij de ingang van het plein. Tinka en Sasja zijn bij de overblijf geweest en staan bij het hek op Melanie te wachten. Shanna, Anouk en Emma komen ook aanlopen.

'Meiden, wat wíj gezien hebben,' begint Frederieke met luide stem. 'Je wilt het niet wéten! Luuk en Melanie geven elkaar een vuistje als afscheid! Wat een rare verkering!' Ze draait zich naar Melanie. 'Arm kind, kan er nou echt geen kusje af?'

Veerle en Anouk beginnen te joelen, stille Emma glimlacht

alleen. Melanie weet niet wat ze hoort! Dit is nog nooit gebeurd, dat iemand haar en Luuk plaagde omdat ze vrienden zijn.

Aangemoedigd door de reactie van de anderen, gaat Frederieke nog even door. 'Hij kán toch wel zoenen, die Luuk van jou?'

Nu joelen de meiden nog harder. Dat Veerle en Anouk meedoen, vindt Melanie niet zo gek. Maar ze hoort zelfs Tinka en Sasja grinniken. En dat had ze niet verwacht. Gelukkig komt Julia, haar beste vriendin, er net aan.

'Wat is er? Waar gaat het over?'

Veerle herhaalt wat Frederieke gezegd heeft.

Julia schiet in de lach, maar slaat gauw haar hand voor haar mond. 'Nou jááá,' zegt ze verontwaardigd.

Melanie voelt de woede van die ochtend weer in zich opborrelen. Ze doet een stap in Frederiekes richting en buigt zich met fonkelende ogen naar voren. 'Doe eens effe normaal! Je moet je stomme bek houden, en als je nog één keer zoiets achterlijks zegt, dan... dan...'

Frederieke wijkt nog geen centimeter achteruit. Ze beweegt zelfs een stukje naar Melanie toe, zodat hun neuzen elkaar bijna raken. 'Dan wat? Nou, wat dan? Bedenk eens wat!'

Meer kinderen komen om hen heen staan. Sommige grinniken, andere roepen wat om hen op te jutten.

Melanie voelt een tinteling in haar nek, die zich over haar armen verspreidt. Haar oren beginnen te suizen. Die trut! Met haar 'moordenaar' en nu weer over Luuk en... Haar woede spat naar buiten, zoals cola uit een blikje dat is geschud. Ze vliegt Frederieke aan en klauwt in haar lange haren.

'Au!' schreeuwt Frederieke. 'Rotwijf, laat los, laat lós!'

Maar Melanie trekt en krijst nog harder, tot ze opeens twee stevige handen op haar schouders voelt. Een kalme stem dringt tot haar door.

'Melanie, laat los!' Het is juf Maaike, die pleinwacht heeft.

Het waas voor Melanies ogen trekt weg en nu ziet ze de pijn op het gezicht van Frederieke. Ze voelt kramp in haar vingers en even vraagt ze zich af wat er gebeurd is. Haar armen vallen slap langs haar lichaam.

'Mee naar binnen, dames,' zegt de juf. Ze duwt de twee voor zich uit.

Frederieke houdt kermend met beide handen haar hoofd vast. Melanie loopt gelaten naast haar. Ze kijkt naar haar bezwete handen, waar een pluk blond haar aan kleeft. Als een leeggelopen ballon, zo voelt ze zich.

In de lerarenkamer zit meester Leo. Hij kijkt even naar de meiden en knikt dan naar de juf. 'Handel jij het af, Maaike?'

Terwijl Melanie precies vertelt wat er gebeurd is, houdt ze haar blik strak op juf Maaike gericht. Als Frederieke aan de beurt is, maakt zij haar rol net iets mooier. Melanie wil tegensputteren, maar dat laat de juf niet toe. Ze bijt op haar lip en hoort hoe Frederieke niet echt liegt, maar gemeen slim niet de hele waarheid vertelt.

'Allebei schuldig,' vindt de juf uiteindelijk. 'Vanmiddag blijven jullie allebei een half uur na. En nu naar de klas.'

Frederieke mompelt wat en loopt het kamertje uit.

Melanie kijkt geschrokken naar juf Maaike. 'Maar ik moet

vanmiddag naar de orthodontist. Mijn moeder komt me om half vier uit school halen.'

'Goed. Ik zal om half vier met je meelopen naar buiten en als het klopt, dan mag jij morgen nablijven.'

Melanie baalt. De juf zou haar gewoon op haar woord moeten geloven, vindt ze.

Als ze zich om half vier bij haar melden, moet Frederieke aan een tafeltje gaan zitten en loopt de juf met Melanie mee naar de parkeerplaats bij de school. Daar staat haar moeder te wachten.

'Dag, mevrouw Heemskerk,' zegt juf Maaike. 'Naar de orthodontist?' En als Melanies moeder knikt, vertelt ze in het kort wat er gebeurd is.

Melanie stapt in de auto en de juf gaat terug naar binnen.

Hoofdschuddend geeft haar moeder gas. 'O o, Mel, écht vechten. Heftig, hoor!'

'Ja maar, mam, weet je wat ze zei?' Melanie is meteen weer woest bij de herinnering. 'Die, die... die trut!'

'Ho ho, zo praat je niet mevrouwtje. Dat je kwaad bent, prima, maar hou het een beetje netjes, ja?' Ze draait haar hoofd naar Melanie, die verontwaardigd terugkijkt.

'Jij zou ook kwaad geworden zijn, hoor mam!'

Haar moeder glimlacht begripvol en legt even haar hand op Melanies arm. Een luid getoeter laat haar schrikken en ze ontwijkt nog net een auto die van rechts komt.

'Oei, dat was op het nippertje!' Ze kijkt in de achteruitkijkspiegel en zucht diep. 'Vertel een andere keer maar wat ze zei. Ik moet mijn aandacht echt bij het verkeer houden.'

Melanie vindt het best. Voor haar part hebben ze het er nooit meer over!

De vader van Melanie zit met zijn loopschoenen aan te wachten als ze terugkomen van de orthodontist. Het duurt nog zeker een uur voordat ze gaan eten.

'Ga je mee een stukje joggen?'

Hè ja, denkt Melanie, lekker rennen en alle nare gedachten weg laten waaien. Ze heeft haar sportschoenen al aan, ze heeft altijd sportschoenen aan, dus vertrekken ze meteen.

Samen rennen ze door het park. Langs de route zijn hier en daar houten oefentoestellen neergezet. Bij het eerste moet je gaan liggen op een schuine plank met je hoofd aan de lage kant. Je voeten passen onder een dwarsbalkje en dan moet je proberen met je bovenlichaam overeind te komen. Het lukt Melanie tien keer.

'Twee keer meer dan laatst,' prijst haar vader haar. Zelf komt hij tot achttien, maar Melanie protesteert.

'Jij doet alleen je hoofd en je nek omhoog, dat is veel makkelijker!'

Hij lacht en rent weg. Pas bij het volgende toestel haalt Melanie hem in. Hier moet je jezelf optrekken aan een stok. Simpel, maar je moet sterke armen hebben. Of weinig wegen. Gelukkig is Melanie nogal mager. Haar vader ook en ze kunnen dit allebei even goed. Nou ja, haar vader ietsje beter.

Hierna rennen ze langs het meertje. Op de vissteiger zit een man met een rood petje te hengelen. Melanie en haar vader puffen uit en doen meteen wat rek- en strekoefeningen. De visser heeft beet. Hij gaat staan en haalt de vis rustig naar de kant. Dan hijst hij hem met een schepnet op het droge.

'Is dat een karper?' vraagt Melanie.

'Was het maar waar,' zegt de visser. 'Karpers vechten tenminste.' Hij pakt de geelwitte vis met een natte doek beet en peutert met voorzichtige vingers het haakje uit de bek. 'Dit is een brasem. Brasems zijn slijmjurken, waar je schepnet nog dagenlang van stinkt.'

'Wel een flinke jongen,' merkt Melanies vader op.

'Een pond of drie,' schat de man en hij kijkt nog eens goed. 'Vier,' besluit hij trots. Hij knielt op de steiger en geeft de vis zijn vrijheid terug.

Melanie en haar vader joggen in een lekker tempo verder.

'Is dat nou dierenmishandeling?' vraagt ze.

Haar vader schudt bedachtzaam zijn hoofd. 'Tja, het is maar wat je mishandeling vindt. De vis gaat er niet dood van en die meneer deed het helemaal volgens de regels met die natte doek. En hij gooide hem niet met een boog terug in het water.'

'Hoe bedoel je?'

'Nou, hoe voelt het als jij een mislukte duik maakt en plat op je buik in het water komt?'

Melanie snapt het. 'Hij liet hem zachtjes in het water glijden. Maar om aan zo'n haakje in je lip uit het water getrokken te worden, lijkt me toch een rotgevoel.'

'Dat wel natuurlijk; daarom gebruikte hij een schepnet,' zegt haar vader. 'Weet je, het zou duidelijker zijn als vissen konden schreeuwen en gillen. Dan zouden er waarschijnlijk heel wat minder mensen vissen.'

Ze rennen langs het kanaal naar het dierentehuis. Hier staat een serie lage hekjes waar je overheen moet springen. Ze gaan drie keer heen en terug en slenteren dan moe op huis aan.

'Dierenmishandeling is strafbaar, hè pap?' zegt Melanie.

'Denk je nu nog aan die visser?'

Melanie schudt haar hoofd. Ze vertelt over het krantenartikel van Shanna en over de reacties van de andere kinderen. Het woord van Frederieke vindt ze te erg om te herhalen, maar ze wil toch weten of haar vader echt...

'Papa, die pitbulls... Ze zeggen dat... Moesten die inslapen?'

Haar vader slaat zijn arm om haar schouders. 'Ja meissie, die pitbulls moesten inslapen. En vier bouviers ook, omdat ze zo ziek waren dat ik ze niet beter kon maken.'

'Maar die pitbulls waren toch niet ziek?'

'Nee, maar ze waren ontzettend agressief.'

'Yasmin zegt dat ze best heel lief kunnen zijn.'

'Dat kán wel. Maar deze waren totaal niet opgevoed. We hebben er een hondentrainer bijgehaald, maar er was echt niks met ze te beginnen. Er is zelfs een wet voor, de Regeling Agressieve Dieren. Als honden bewezen agressief zijn, dan moeten ze inslapen. Afgelopen vrijdag is dat gebeurd.'

Melanie hoort het zwijgend aan. Met gebogen hoofd loopt ze naast haar vader.

'Ik vind het net zo vervelend als jij,' zegt hij begripvol. 'Maar de wet is nou eenmaal de wet.'

'Zoiets zei meester Leo ook.' Ze zucht eens diep. 'Sommige kinderen snappen er niks van.'

'Misschien kun je er een keer een spreekbeurt over houden,' stelt haar vader voor. 'Het dierentehuis heeft wel wat folders en posters die je kunt gebruiken. En ik wil je er best bij helpen,' zegt hij.

Melanie vindt het een goed plan. Spreekbeurten vindt ze leuk en ze heeft meteen allerlei ideeën. 'Misschien kan ik de manager van het dierentehuis wel interviewen. Leuk!'

'Goed plan!' Haar vader doet de keukendeur open en de geur van gebakken vis komt hen tegemoet. 'Mmm, lekker! Heb jij ook zo'n honger?'

De volgende morgen lopen Melanie en Luuk zoals altijd samen naar school. Luuk vraagt of ze 's middags bij zijn waterpolotraining komt kijken. Soms doet ze dat, maar vandaag kan ze niet.

'Ik moet nablijven. Voor gisteren, weet je nog? Benieuwd wat ik moet doen.'

'Gokje? Een opstel schrijven over wat er gebeurd is. Je kunt het aan Fredje vragen. Daar staat ze.' Luuk beweegt zijn hoofd in de richting van het hek.

'Echt niet. Straks begint ze weer te zeuren over ons.'

Luuk grinnikt. 'Kun jij haar weer in de haren vliegen. Nog een paar keer en ze is kaal!'

Melanie lacht mee, maar als ze zich het gesprek herinnert dat ze gisteravond met haar moeder had, is ze meteen weer serieus. 'Mijn moeder zegt dat ik erboven moet staan.'

'Erboven? Hoe?'

'Gewoon, niet reageren, doen of het me niks kan schelen.'

'Nah, kan het je wat schelen dan? Mij niet, hoor!'

Melanie kijkt hem ongelovig aan en dan lopen ze langs Frederieke het plein op. Veerle staat natuurlijk bij haar en Emma en Anouk. Niemand zegt wat, maar Melanie ziet vanuit haar ooghoeken heel goed hoe ze kijken: met zo'n misselijk glimlachje op hun gezicht. En niet alleen Frederieke, de anderen net zo goed. Het geeft haar een naar gevoel, dat pas een beetje zakt als Sasja vrolijk vertelt over haar puppy's.

Het is een saaie schooldag. Frederieke houdt zich koest, alhoewel er wel opvallend gefluisterd wordt door haar en het groepje meiden om haar heen. Melanie probeert er niet op te letten. Ze regelt bij de meester een spreekbeurt voor aanstaande vrijdag – vrijwilligers krijgen altijd een punt extra – en om half vier meldt ze zich bij juf Maaike. Luuk had gelijk: ze moet een opstel maken over wat er gebeurd is. Daarna is er te weinig tijd over om naar de training van Luuk of de hondjes van Sasja te gaan. Thuis hangt ze een poosje achter de computer op zoek naar informatie over pitbulls.

Bij het avondeten zegt haar vader dat Jet, de manager van het dierentehuis, morgenmiddag om half twee een half uurtje tijd voor haar heeft.

Zodra ze het toetje ophebben, rent ze door de achtertuin naar Luuk om samen vragen te bedenken. Nou ja, sámen bedenken... Melanie bedenkt ze en Luuk zegt steeds dat hij het een goede vraag vindt.

'Waarom eigenlijk?' vraagt Melanie na de derde keer.

'Omdat ik het antwoord niet weet.' Zijn tandpastaglimlach

verspreidt zich over zijn gezicht en Melanie draait met haar ogen.

'Ja hoor, dombo!'

En dan moet ze toch lachen, omdat Luuk met zijn handen wappert alsof het flaporen zijn en daarna met zijn arm als slurf in het rond zwaait.

'Kom je zaterdag naar het poloën kijken?' Met zijn hoofd een tikje scheef kijkt hij haar aan. 'Belangrijkste wedstrijd van het seizoen. Tegen Sparta.'

Melanie snapt het meteen. Sparta! De kampioen van vorig jaar. De Waterbuffels, waar Luuk bij zit, hadden de laatste wedstrijd van hen verloren.

Het ergste was nog dat de scheidsrechter ten onrechte een doelpunt had afgekeurd. Anders waren zij kampioen geworden.

'Die nepkampioenen? Die moeten jullie eens even een poepie laten ruiken! Ik vraag of Julia ook komt. En Tess en Sasja en iedereen!'

'Iedereen?' twijfelt Luuk.

Melanie is even stil. 'Nou, Frederieke maar niet.'

Ze grijnzen allebei en buigen zich weer over de vragen.

Hoofdstuk 4

Woensdag, de fijnste dag van de week, vindt Melanie. De hele middag vrij! Later vandaag gaat ze met Julia op de fiets naar Sasja. Voor de puppy's natuurlijk. Maar direct na school gaat ze eerst naar Dierentehuis Groenhove. Luuk loopt voor de gezelligheid met haar mee.

Als ze het park in lopen, merken ze dat ze gevolgd worden. Frederieke en Veerle wandelen op korte afstand achter hen aan.

'Die twee moeten toch niet deze kant op?' vraagt Luuk verbaasd.

Melanie haalt haar schouders op. Bij een splitsing trekt ze Luuk mee naar links.

'Groenhove is rechtdoor,' protesteert hij.

'Kijken wat die twee doen,' legt Melanie uit.

Dit pad voert naar de vissteiger. De visser met het rode petje zit er weer en Melanie en Luuk blijven even kijken of hij wat vangt. Algauw komen Frederieke en Veerle er aan. Ze gaan iets verderop op een bankje zitten.

'Als wij nu teruggaan en als zij dan ook komen, weet ik het zeker,' fluistert Melanie.

'Weet je wat zeker?'

'Dat ze ons volgen!'

Luuk wijst op zijn voorhoofd. 'Ons volgen? Wat is daar nou

aan?' Maar hij loopt wel met haar mee.

Op de splitsing kijkt Melanie achterom en ja hoor! 'Daar zijn ze weer!'

'Nah, die zijn echt gestoord!'

Ze slaan het pad naar het dierentehuis in en even later horen ze voetstappen achter zich.

Melanie windt zich er flink over op. 'Stomme mutsen! Laten ze ergens anders gaan lopen,' moppert ze.

De mutsen komen steeds dichterbij.

'Zullen we gaan rennen?' stelt Melanie fluisterend voor.

'Ben jij gek,' vindt Luuk. 'Denk je dat ik wegren voor die meiden?' Hij gaat expres nog wat langzamer lopen.

Erboven staan, zegt Melanie in zichzelf, erboven staan, erbó-ven staan.

Als Frederieke en Veerle vlak achter hen zijn, doet Luuk een stapje opzij om hen erlangs te laten. Maar hun achtervolgers blijven ook staan. Luuk en Melanie slenteren een stukje verder, blijven even staan, lopen door en de twee meiden doen precies hetzelfde.

Melanie heeft het gevoel dat er stoom uit haar oren komt, zo kwaad is ze. Plotseling draait ze zich om en zwaait met haar armen alsof ze een zwerm muggen van zich af wil slaan. 'Rot op, achterlijk stelletje stalkers, ga ergens anders lopen,' schreeuwt ze.

Veerle lijkt even onder de indruk, maar Frederieke glimlacht vriendelijk. 'Wij mogen hier best lopen. Het is een openbare weg.'

Melanie ontploft nu bijna. Ze bedenkt de vreselijkste

scheldwoorden, maar als ze haar mond opendoet, komt er alleen wat gesputter. 'St...stel, stel... fff... st...'

Frederieke blijft onaangedaan glimlachen. Melanie kan haar wel slaan, maar net als ze op het punt staat om op haar af te springen, pakt Luuk haar arm.

'Laat doodvallen,' zegt hij onverschillig. Hij draait zich om en trekt Melanie mee.

Achter hen klinkt een schaterend gelach. Met tranen van woede kijkt Melanie Luuk aan. Hij laat haar arm los.

'Hoe noemde je moeder dat ook weer?'

Melanie haalt haar neus op. 'Erboven staan.' Het klinkt stoerder dan ze zich voelt. Ze veegt haar wangen droog. 'Wat doe jij vanmiddag?'

'Eerst thuis eten en dan zwemmen met Alex. Misschien een beetje trainen voor zaterdag. Vanavond heb ik niks. Xieje.'

Melanie hoopt maar dat Frederieke en Veerle weg zijn als ze straks naar huis gaat. Maar ze wil niet kinderachtig doen en vragen of Luuk bij haar blijft. Dan gaat ze nog liever rennen.

Naast de hoofdingang is Niels aan het schilderen. Melanie maakt een huppeltje als ze hem ziet. Ze vindt het altijd zo leuk om een kletspraatje met hem te maken. Hij is al achttien en wil later dierenarts worden. Daarom doet hij regelmatig vrijwilligerswerk in het dierentehuis. Dat zou zij ook wel willen, maar ze is er nog te jong voor.

De houten planken tegen de muur waren wit, maar Niels is met rode verf aan de slag. Hij is zomaar ergens halverwege begonnen.

'Hoi, Rembrandt,' roept Melanie.

Niels draait zich om en doet een uitval met de kwast in de richting van haar neus, maar ze duikt net op tijd weg. Hij lacht, dreigt nog een keer en gaat dan door met zijn werk.

'Apart, dat rood,' vindt ze.

Niels kijkt haar aan. Hij heeft lichtbruine ogen met donkere spikkeltjes erin. 'Rood, de kleur van de liefde,' zegt hij met een toneelstem. Hij legt zijn hand met de kwast erin op zijn hart, zodat er een rode vlek op zijn shirt komt. 'O, shit.' Onhandig probeert hij hem weg te vegen, waardoor de vlek alleen maar groter wordt.

'Je moet er iets van maken, dan lijkt het of het zo hoort,' stelt Melanie voor.

'Een hartje met een pijl erdoor,' bedenkt hij meteen. Hij reikt haar de kwast aan. 'Wil jij het doen?'

Melanie voelt zich opeens een beetje trillerig. 'Ah nee, joh,' zegt ze verlegen.

Niels lacht haar vriendelijk toe. 'Dan ga ik maar verder met de planken.'

'Waarom doe je ze niet gewoon wit?'

'Dan krijg ik de graffiti er niet goed onder.' Hij doet een stapje opzij en nu pas ziet Melanie het. Op de witte planken zijn bloedrode letters gespoten.

'*ENAARS*,' leest ze. 'Hè?'

Hij wijst op het stuk dat hij al overgeschilderd heeft. 'Hier stond *MOORD*.' Verbijsterd staart ze naar de letters. Dan herinnert ze zich het kringgesprek van maandag. Ze hoort het Frederieke weer zeggen.

'Het is de tweede keer al deze week,' vertelt Niels. 'Nog een geluk dat dit een houten gebouw is, want van een stenen muur krijg je het niet af.'

'Ze zijn gek! Wie doet dat nou?' scheldt Melanie.

Niels haalt zijn schouders op. 'Hopelijk is het de laatste keer, want zulke reclame kunnen we nu niet gebruiken.'

'Dat kun je toch nóóit gebruiken?'

'Nee, maar nu met de sponsorloop helemaal niet.' Hij wijst naar een aanplakbiljet op de ruit naast de voordeur.

Melanie leest het. Volgende week zaterdag wordt er een sponsorloop gehouden door de medewerkers van het dierentehuis. De opbrengst is bedoeld voor onderhoud aan het gebouw: het dak van het hondenverblijf lekt en het inbraakalarm is stuk. Iedereen met hart voor het dierentehuis wordt uitgenodigd om mee te doen.

Volgende week zaterdag, denkt Melanie. Precies op de dag van haar verjaardagsfeestje.

'De honden lopen ook een rondje mee. Lijkt het je wat?' vraagt Niels.

Plotseling flitst er een fantastische gedachte door haar hoofd. 'Tuurlijk! En ik neem al mijn vriendinnen mee!' Zonder Niels gedag te zeggen rent ze naar binnen.

Haar vader zit in zijn kantoor te eten. Op zijn bureau staat een pot chocopasta met een mes erin.

'Papa, ik weet wat ik op mijn feestje wil doen!' roept ze.

'Hallo papa, alles goed? Goeiemiddag, Melanie. Ja hoor, met jou ook? Wil je een boterhammetje?' zegt hij.

'Hè ja, dat ook allemaal,' zegt ze half lachend, half mopperig.

'Chocopasta, lekker! Maar pap, volgende week is toch mijn feestje? Dan vraag ik of ze allemaal meedoen met de sponsorloop en dan hoef ik geen cadeautjes, maar geld voor het dierentehuis en als iedereen zich dan laat sponsoren, dan komt er nog veel meer geld binnen, vind je dat geen strak plan en dan eten we na afloop bij ons thuis patat,' ratelt ze aan één stuk door. Buiten adem kijkt ze haar vader stralend aan.

'Helemaal geen cadeautjes?' vraagt hij, terwijl hij een bruine boterham uit een papieren zak pakt.

'Nou ja, van jullie wel. Maar van mijn vriendinnen niet. Ah, mag het?'

Hij smeert een dikke laag pasta op de boterham en legt er een tweede bovenop. 'Alsjeblieft. Het is een bijzonder idee. Denk goed na over hoe je het wilt regelen en bespreek het met mama. Mijn zegen heb je.'

'Yes,' zegt Melanie en ze neemt een flinke hap. Even later komt Jet het kantoor binnen. Ze kijkt op de klok.

'Hai Melanie, jij bent vroeg. Ik ben nog even bezig, hoor.'

Melanie wijst op haar volle mond en op de boterham en knikt dat het geen probleem is.

'Wouter, kun jij even naar een hondje kijken. HIJ is net binnengebracht. Volgens de eigenaar is het een patiënt van jou.'

Melanie loopt achter haar vader en Jet aan naar de behandelkamer. Op de tafel staat een wit hondje. Zo een als op die dure blikjes hondenvoer, ziet Melanie. Een oud dametje houdt hem vast.

'Dag, mevrouw Vermeer,' zegt Melanies vader en hij geeft haar een hand. 'Hoe gaat het met onze Maltezer leeuw?'

De mevrouw vertelt dat ze naar een verzorgingshuis moet en haar hondje niet mag meenemen. Het beestje is al tien jaar en ze vindt het verschrikkelijk om hem hier achter te moeten laten.

'Maar ik ken niemand die hem wil hebben. En hij is toch zo lief!' Er klinken tranen in haar stem.

'En kerngezond,' zegt Melanies vader, die hem snel heeft onderzocht. 'Alleen zijn ogen zijn niet best.'

'Dat is juist het probleem,' legt de mevrouw uit. 'Thuis weet hij precies de weg, maar ergens anders loopt hij overal tegenaan. En buiten moet hij altijd aan de lijn.' Ze aait het hondje en kijkt naar Jet. 'Denkt u dat u een nieuw baasje voor hem kunt vinden?'

'We doen ons best,' verzekert Jet haar. 'Het kan even duren, maar het gaat lukken! Hoe heet hij?'

'Ajax. Mijn overleden man was een fanatieke Ajax-fan, vandaar.' Ze glimlacht treurig.

'Ajax, een held van vroeger, toch?' zegt Melanies vader. Hij geeft Melanie een knipoogje. 'Van de oude Grieken!'

Maar zij vindt het helemaal geen leuk grapje. Ze vindt het zo zielig voor de mevrouw die haar hondje moet achterlaten.

Het dametje knuffelt het beestje nog een laatste keer. 'Dag lieverd, dag!' Met een betraand gezicht loopt ze de behandelkamer uit.

Ook bij Melanie lopen de tranen over haar wangen.

Jet neemt de hond mee. 'Kom je, dan brengen we hem naar zijn nieuwe plekje.'

Melanie draagt de mand en de riem die de mevrouw

meegebracht heeft. In een lange gang, waar al een stuk of zeven honden in kooien zitten, doet Jet een deurtje open.

'Zet de mand er maar in.'

Het hondje gaat er meteen in zitten.

'Het is een lieverd,' vindt Melanie. Ze wrijft de tranen van haar gezicht. 'Zou je echt een nieuw huis voor hem kunnen vinden?'

'Niet makkelijk. Maar er zijn wel mensen die juist oudere honden nog een paar fijne jaren willen geven,' zegt Jet.

'En als het nou heel lang duurt, moet hij dan...' Melanie vindt het moeilijk om te vragen, maar Jet begrijpt het zo ook wel.

'Nee,' zegt ze beslist. 'Dan laten we hem niet inslapen. Dat gebeurt alleen met doodzieke dieren. Of met erg agressieve, zoals die pitbulls laatst.'

Melanie kijkt naar het hondje. Ze zou hem zo mee naar huis nemen, zo lief is hij. Maar ja, haar moeder...

'Dag, Ajax.' Ze moet er nu toch wel een beetje om lachen. 'Niet echt een passende naam. Wolkje zou beter zijn. Of Sneeuwvlokje.'

Jet lacht mee. 'En bij een supporter van Feyenoord zal hij ook niet welkom zijn!' Ze vult een drinkbakje met water en dan laten ze Ajax alleen. 'Zullen we meteen de rondleiding doen?'

Samen lopen ze door de gangen langs een flinke ruimte waar de honden buiten kunnen spelen. Ze worden ook elke dag in het park uitgelaten, vertelt Jet.

In het kattengedeelte is het gezellig met allerlei krabpalen en manden met warme dekentjes. Overal liggen poezen te luieren, witte en zwarte, gevlekte en gestreepte. Een lapjeskat komt kopjes geven tegen Melanies benen en een dikke rode kater ligt te slapen in een oude leunstoel. In een hoek hangt een radio waar zachte muziek uit klinkt.

'Net als in een echt huis,' constateert Melanie.

'Daarom heet het hier ook dierentehuis,' zegt Jet. 'En niet asiel. Het is hetzelfde, maar het geeft beter aan hoe wij met de dieren omgaan.'

Aan het eind van de rondleiding komen ze in een kleine keuken. Het raam kijkt uit op de hoofdingang, waar Niels nog staat te schilderen.

Jet neemt een kopje koffie, Melanie krijgt limonade en dan zoekt ze haar vragenlijstje op.

Als ze alle antwoorden heeft, krijgt ze een folder waarin de hele gang van zaken rondom het dierentehuis uitgelegd wordt. Bij haar vader haalt ze wat reclamemateriaal voor diervoeding en een prachtige poster van een golden retriever. Met een tas vol spullen gaat ze naar huis.

Hoofdstuk 5

'Nah, wat een papierwinkel!' Luuk kijkt in de tas van Melanie. 'Heb je dat allemaal nodig voor je spreekbeurt?'

Ze knikt ijverig. 'En de uitnodigingen voor mijn feestje zitten er ook in!'

Het is hard werken geweest, maar het is allemaal gelukt: de spreekbeurt voorbereiden, haar moeder ervan overtuigen dat meedoen met de sponsorloop een geweldig verjaarsfeest zou zijn, bedenken wie er uitgenodigd moeten worden, samen met Luuk de uitnodigingen ontwerpen op de computer en dat alles in anderhalve dag tijd.

Overigens had het weinig gescheeld of Luuk had die uitnodigingen helemaal niet gemaakt. Hij is de enige die het een stom idee vindt, dat van die sponsorloop.

'Waarom gaan we niet lekker naar het zwembad?' stelde hij voor, toen hij op internet illustraties zocht voor de uitnodiging.

'Ja doei, dat doen we op jouw feestje altijd al! Je zal wel zien hoe gaaf het wordt. Zeker met alle honden erbij!'

Alsof al haar knuffelhonden op dat moment waren gaan blaffen, zo was Luuk geschrokken! De aansteller! Uit wraak had hij plaatjes van een waterpolowedstrijd op de uitnodiging gezet.

Melanie vond het zo flauw. 'Dat je honden niet leuk vindt, oké, maar daarom kun je nog wel meedoen.'

Maar Luuk bleef mopperen en was pas bijgedraaid toen ze hem liet beslissen welke jongens ze zou uitnodigen: Alex, Mees en Hessel.

Inmiddels zijn ze bij de straat waar Frederieke woont.

'Benieuwd wat ze vandaag weer verzint,' zegt Luuk.

'Hou eens even op, zeg. Ik word helemaal niet goed van dat mens.' Melanie kijkt de straat in, maar er loopt niemand.

Gisteren had Fredje weer iets nieuws. Ze trok voortdurend rare gezichten naar Melanie, alsof ze luchtkusjes gaf. Melanie begreep er eerst helemaal niks van, maar toen ze een keer dicht bij Fredje in de buurt kwam, hoorde ze dat het mormel heel zacht 'Luuk' zei. Telkens weer, Luuk, Lúúk!

'En het ergste is dat ik er niks van kan zeggen. Ik kan toch moeilijk tegen de meester zeggen dat ze steeds "Luuk" zegt. Dat is niet verboden.'

'Laat haar toch de hik krijgen!' Luuk maakt een wegwerpgebaar. 'Heb je al gevraagd wie er morgen naar de wedstrijd komen?'

'De hele klas zo'n beetje,' zegt Melanie. 'Tinka maakt een spandoek en Mees' grote broer heeft ratels geregeld en toeters en bellen. Zorg jij nou maar dat je laat zien wie de echte kampioenen zijn!'

In de klas legt Melanie haar tas op tafel en haalt er een poster uit. Ze loopt ermee naar meester Leo, die aan zijn bureau schriften zit na te kijken.

'Mag ik deze poster op het bord hangen, meester?'

'Goeiemorgen, Melanie.'

'Dat vergeet ik nou altijd,' lacht ze. 'Goeiemorgen, meester.

Mag het?'

Aan de twinkeling in zijn ogen ziet ze dat hij het niet echt erg vindt. Hij knikt en Melanie pakt een paar magneetjes, waarmee ze de poster aan het bord bevestigt. Daarna zet ze een tafeltje midden voor de klas en loopt terug naar haar eigen plaats. Ze wil gaan zitten, maar de meester geeft haar een seintje dat ze meteen met de spreekbeurt mag beginnen.

'Allemaal op je eigen plaats, dames en heren. Aandacht voor Melanie, alsjeblieft!'

Met haar armen vol spullen wurmt ze zich door het pad langs een paar jongens die juist de andere kant op willen. Ze struikelt over een tas en kan zich nog net vastgrijpen aan de tafel van Anouk. Maar alle papieren vallen natuurlijk op de grond. Anouk helpt met oprapen, en Mees ook en nog wat kinderen, zodat alles helemaal door elkaar ligt. Terwijl ze bij het tafeltje de boel probeert te ordenen, ziet ze dat Frederieke en Anouk samen een blaadje bekijken. Net als ze wil vragen of dat ook van haar is, vangt Frederieke haar blik op. Ze schudt haar hoofd en stopt het blaadje in haar la. Natuurlijk vertrouwt Melanie haar voor geen cent, maar ze mist niets wat met haar spreekbeurt te maken heeft. Wel ziet ze dat er een paar mislukte uitnodigingen voor haar feestje tussen zitten en een tekening die Luuk gemaakt heeft. Nou ja, tékening: een situatieschets van een aanval die hij bij de waterpolotraining opgezet had.

Ze pakt het blaadje met bespreekpunten, haalt diep adem en begint te vertellen. Twintig minuten later houdt ze pas weer haar mond. Iedereen heeft geboeid geluisterd en er worden allerlei vragen gesteld. Melanie weet bijna overal antwoord op. Zelfs op de vraag van Shanna.

'Vond jouw vader het niet vreselijk toen hij die honden van dat krantenbericht moest laten inslapen?'

'Jawel, maar hij vond het vooral fijn dat hij die andere vijf honden beter kon maken.'

Frederieke snuift minachtend. 'Vijf honden genezen, zes dood. Lijkt me geen goed resultaat.'

'Zonder mijn vader waren er elf dode honden geweest. Nu vijf. Lijkt mij een prima resultaat!' zegt Melanie.

De klas is even stil. Dan begint Mees te klappen, en Julia en Luuk, en even later klinkt er een daverend applaus. Zelfs Frederieke doet voorzichtig mee. Voor de show, denkt Melanie. Omdat haar vader het ziet.

Meester Leo geeft haar een acht voor de spreekbeurt, plus de bonuspunt is een negen. Tevreden gaat ze terug naar haar plaats.

In de pauze pakt ze de enveloppen met de uitnodiging voor haar feestje. Julia, Tess, Sanne, Sasja, Tinka, Nikita en Bibi zijn de gelukkigen, en de vier jongens. Eigenlijk had ze de hele klas, op Frederieke na, wel willen vragen, maar dat vond haar moeder niet zo'n goed idee.

'Als je de hele klas uitnodigt, dan ook de héle klas.'

Maar Frederieke op haar feestje, dat had Melanie zelfs voor het goede doel niet over. Ze kijkt gespannen naar de gezichten van de meiden als ze lezen dat ze gaan meedoen aan de sponsorloop. Sommigen zijn even verbaasd, maar dan roept Sasja als eerste dat ze het een geweldig plan vindt. Julia vraagt of ze zeker weet dat ze geen cadeautje wil en Nikita wil weten hoe dat sponsoren precies werkt. Melanie legt het uit.

'Je moet mensen zoeken die jou willen betalen voor elk rondje dat je loopt. Je moeder of de buurvrouw of zo.'

'En is dat geld dan voor jou?'

'Nee, voor het dierentehuis, natuurlijk.'

'Maar dan heb jij er toch niks aan?'

'Jawél, want ik wil het dierentehuis helpen.'

'Oké! Ik ga vanmiddag meteen sponsors zoeken!'

'Ik ook!'

'Ik ook!'

Tinka bedenkt zelfs dat ze verkleed zouden kunnen gaan.

'Mijn moeder heeft heel veel kostuums gemaakt voor een dierenvoorstelling. Misschien mogen we die gebruiken.'

Luuk staat een eindje verderop op het plein met Alex, Mees en Hessel. Hij vindt het nog steeds een waardeloos plan.

'Als ik haar was, had ik mooi cadeautjes gevraagd,' vindt Mees.

Alex kijkt naar Luuks gezicht. 'Vind jij het niks?'

'Nah,' bromt Luuk en hij haalt zijn schouders op. 'Niks tegen Mel zeggen, hoor!'

'We kunnen achteraan gaan lopen,' bedenkt Alex. 'Dan piepen we ertussenuit en zorgen dat we op tijd bij haar huis zijn voor de patat.'

Grinnikend slenteren ze met z'n vieren naar het trapveldje.

Hoofdstuk 6

De waterpolowedstrijd begint om twee uur, maar om één uur staan Sasja en Tinka al bij Melanie op de stoep. Mét het spandoek.

'*Niks meer aan te doen, Luuk kampioen!*' leest Melanies vader.

'Goed bedacht,' prijst haar moeder.

Tinka bloost ervan. Dan rollen zij en Sasja het doek weer op en als Melanie haar fiets heeft gepakt, vertrekken ze.

'Is het niet een beetje vroeg?' vraagt haar moeder.

Maar dat vindt Melanie helemaal niet. 'We moeten Julia nog ophalen en het spandoek aan de tribune hangen; we zijn juist laat!' overdrijft ze.

Bij het zwembad zetten ze hun fiets in de stalling. Sanne en Tess staan daar op hen te wachten. Op het raam naast de deur hangt de aankondiging van de wedstrijd: de Waterbuffels tegen Waterpoloclub Sparta. Er hangen nog meer aanplakbiljetten, ook die van de sponsorloop. En...

'Kijk nou,' zegt Sanne tegen Melanie. 'Je verlanglijstje!'

'Hè?'

'Kijk dan, hier.' Sanne wijst op het raam.

De anderen drommen om haar heen.

'*Verlanglijst van Melanie,*' leest Sasja hardop. '*Eén, een hond. Twee, nooit meer naar de orthodontist en toch mooie tanden.* En een lucifermannetje dat Luuk heet. Leuk getekend trouwens.'

Melanies mond valt open. 'Hoe kan... hoe komt... nou jááá!' Meteen weet ze het: Frederieke! Ze ziet weer voor zich hoe zij het blaadje papier verstopte dat Anouk opgeraapt had vlak voor de spreekbeurt. 'Die stomme, stomme...' Driftig stapt ze naar binnen en begint aan het plakband te peuteren. Als ze het papier los heeft, merkt ze dat het allemaal nog erger is dan ze al dacht.

'Het is een kopie!' schreeuwt ze woedend. 'Dus het echte heeft ze nog!'

'Nog een geluk dat we zo vroeg zijn,' vindt Julia. 'Nu heeft bijna niemand het gezien.'

'En wat dan nog?' zegt Tinka kalm. 'Wat staat er nou helemaal? Dat je een hond wil en mooie tanden. Ik vind het wel een origineel lijstje.'

Melanie grijnst en voelt zich meteen een stuk rustiger. 'Laten we maar een lekker opvallende plek gaan zoeken voor dat spandoek,' stelt ze voor.

Op de tribune zitten wat mensen die ze niet kennen. Supporters van de tegenstander, denkt Julia. Ze binden het spandoek aan het hek dat om de tribune staat en gaan op de eerste rij zitten.

De twee teams komen uit de kleedkamer om in te gaan zwemmen. Luuk steekt zijn vuist op naar Melanie en luistert dan naar de trainer.

Even later komt Mees binnen met Alex en Hessel.

Hij deelt toeters en ratels uit, die natuurlijk meteen getest moeten worden. Het is alsof er een vrachtwagen vol keien omvalt.

'Daar word je nog hartstikke moe van,' constateert Hessel met een rood hoofd.

'Heeft je broer er ook oordopjes bij gedaan?' vraagt Melanie, terwijl ze in de tas van Mees kijkt.

'Straks stort de tribune nog in van de geluidstrillingen,' roept Alex.

Ze moeten allemaal vreselijk lachen, en ratelen en toeteren nog eens extra hard.

Ondertussen begint de tribune al aardig vol te stromen. De spelers staan op de kant; het team van Luuk met blauwe caps en de tegenstanders met witte.

Julia stoot Melanie aan. 'Staat hem goed, zo'n blauwe badmuts,' plaagt ze.

Melanie grijnst. 'Moet je ook gaan poloën, krijg je er ook zo een. Of een rode, als je keeper wordt.'

Luuk frummelt wat aan zijn zwembroek, kijkt naar de tribune en duikt het water in. Als alle spelers aan de kant hangen, fluit de scheidsrechter voor het begin. Luuk en een jongen van de tegenpartij zwemmen om het hardst naar de bal. Luuk wint en gooit de bal naar een medespeler, die er als een soort speedboot vandoor gaat. Natuurlijk zwemt er meteen een witte cap naast hem, die de bal na een paar meter al wegtikt. Meteen draait het hele stel om als een school vissen en zet koers richting het doel van de Waterbuffels. Even later is het 0-1!

Op de tribune klinkt een teleurgesteld gemompel. Behalve bij de supporters van de tegenpartij natuurlijk, daar wordt gejuicht! Maar meteen springt Melanie op.

'Doorgaan Waterbuffels, maak ze in!' Haar heldere stem is boven alles uit te horen en ze zwaait haar ratel in het rond en toetert tegelijk.

De wedstrijd gaat verder.

'Hoe lang duurt het eigenlijk?' vraagt Sasja.

'Vier helften van vijf minuten,' weet Julia, die al vaker met Melanie mee is geweest.

'Dat kan niet,' zegt Tinka. 'Dan zijn het vier kwárten.'

Sasja kijkt verbaasd. 'Dat is ook kort. Voetbal duurt veel langer.'

'Maar dit is veel zwaarder. En elke keer als de bal uit het spel is, wordt de klok stilgezet,' legt Melanie uit zonder haar ogen van het water af te houden. 'Kijk, kijk, Luuk gaat scoren.' Ze steekt haar armen al in de lucht, maar de bal ketst af op de lat.

'Oeoeoehhh,' zucht de tribune.

Er komen meer kansen voor beide partijen en aan het einde van de eerste periode is het 2-3.

'Er kan nog van alles gebeuren,' houdt Melanie de moed erin.

De coach van de Waterbuffels praat heftig op de spelers in en dan gaat het spel weer door. Al bij de eerste aanval weet Luuk de gelijkmaker te scoren.

Melanie is door het dolle heen en schreeuwt de longen uit haar lijf. 'Lúú-huuk, Lúú-huuk, Lúú-huuk!'

Haar vriendinnen doen al net zo hard mee. Ze ratelen en toeteren en als Melanie ziet dat Luuk naar haar kijkt, steekt ze haar vuist op.

Daar heeft hij geen tijd voor, want hij moet meteen in de achtervolging op een aanvaller van Sparta. Hij zwemt vlak naast de jongen en probeert hem af te stoppen, maar dat doet hij zo fanatiek, dat de scheidsrechter fluit. Luuk moet naar de kant.

'Een P'tje,' zucht Melanie.

'Mag hij nou niet meer meedoen?' vraagt Sasja.

'Persoonlijke fout, twintig seconden eruit,' legt Melanie uit.

Luuk hijst zich uit het water.

'Boeoeoeh,' klinkt het vlak achter Melanie.

Flauw, denkt ze. Zo erg is een P'tje niet. Ze draait zich om en gelooft haar ogen niet.

'Ik roep "boe" tegen de scheidsrechter,' zegt Frederieke met een onschuldig gezicht. Veerle zit naast haar te knikken. 'Die man moet een bril!'

Dit gaat fout, voelt Melanie. Ze weet nog niet hoe of wat, maar er gáát iets gebeuren. Ze buigt zich naar Julia. 'Néé, hè,' moppert ze in het oor van haar vriendin. 'ZIJ is er ook!'

'Kan jou het schelen,' vindt Julia. Ze wijst naar het water. Een aanval van Sparta heeft succes: 3-4! En even later 3-5!

Melanie heeft haar aandacht er nog maar half bij. Met de andere helft denkt ze aan Frederieke en aan het verlanglijstje. Ze kan het niet bewijzen, maar ze wéét gewoon dat zij het opgehangen heeft.

Luuk doet intussen weer mee. Elke keer als hij de bal heeft, begint Frederieke te roepen en rare geluiden te maken. Eerst herkent Melanie het niet, maar als het even wat rustiger is op de tribune hoort ze het opeens. Zoenen! Ze kijkt achterom;

precies op tijd om te zien hoe Frederieke met getuite lippen en weggedraaide ogen vreselijke zoengeluiden produceert. Het ziet er zo walgelijk uit dat Melanie haar het liefst op haar bolle gezicht wil slaan.

Julia ziet het ook. 'Jeetje, wat ben jij lelijk als je zoent, zeg!' Ze gaat weer recht zitten. 'Daar heb je voorlopig geen last meer van.'

Melanie hoopt dat haar vriendin gelijk heeft. Ze probeert weer op de wedstrijd te letten. Het gaat niet goed met de Waterbuffels. Aan het eind van de tweede periode staat het 4-5. Nog steeds een achterstand.

De scheidsrechter fluit en de twee teams zwemmen heen en weer. Luuk zwemt met de bal vlak voor zijn hoofd naar het doel. Een speler van Sparta probeert hem in te halen, maar dat lukt niet.

'Snel is hij, hè?' roept Julia, terwijl ze Melanie een por geeft met haar elleboog.

Natuurlijk, knikt Melanie, hartstikke snel, maar het kan haar eigenlijk niet boeien. Die meid achter haar verpest de hele wedstrijd. Nu roept ze weer zo belachelijk Luuks naam, met zo'n aanstellerige stem, dat Melanie haar wel wat kan dóén! Toch blijft ze naar het water kijken. Een andere speler van Sparta zwemt zo dicht naast Luuk dat hij hem bijna onder water duwt, maar Luuk is zelfs sneller dan twee tegenstanders samen. Maar dan...

'Dat mag niet!' schreeuwt Melanie. 'Die ene trekt aan zijn voet. Scheids!'

Gelukkig, de scheidsrechter heeft het ook gezien. De speler

krijgt zijn straf, maar Luuks kans om te scoren is voorbij. Het spel gaat door en de Waterbuffels ruiken hun kans. Bij een snelle aanval gooit Luuk de bal naar een medespeler die vrij voor het doel ligt: 5-5!

De supporters toeteren en ratelen zo hard dat ze met gemak het wereldrecord herrie-maken breken. En het lijkt te helpen. Een volgende aanval brengt Luuk in positie om te scoren. Hij heeft de bal in zijn rechterhand, richt zich hoog op en knalt de bal loeihard achter de keeper.

De tribune wordt gek! Julia vliegt Melanie om haar nek, Mees en Alex springen op de banken, er wordt gestampt, geschreeuwd en gezongen en Melanie zou bijna vergeten dat Frederieke er ook nog is. Maar als de grootste herrie voorbij is, hoort ze opeens haar stem.

'Dat was Luuk! Háár Luuk! Luuk van Melanie, dames en heren!'

Melanie weet niet wat ze hoort. Dat mens is gék! Gestoord! Ze draait zich om en ziet hoe Frederieke achter haar staat en met grote gebaren naar haar wijst.

'Kijk, hier zit ze, die vrolijke krullenbol!' Ze heeft een opgerold papier in haar hand en slaat ermee op Melanies hoofd. 'Melanie Heemskerk! Voor haar doet hij het allemaal! Luuk, haar grote held! Lúú-huuk, Lúú-huuk!!!'

En Veerle galmt mee: 'Lúú-huuk, Lúú-huuk!!!'

Melanie graait naar haar arm, maar Frederieke trekt zich net op tijd terug. Ze rolt het papier uit en laat het naar alle kanten zien. Het is een kopie van het verlanglijstje, maar minstens vier keer vergroot!

'Hij staat zelfs op haar verlanglijstje. Luuk! O, ze verlangt zo naar hem!'

Witheet van woede wordt Melanie. Ze springt op de bank, rukt het papier uit Frederiekes hand en scheurt het in stukken. Door een waas ziet ze het gezicht van Frederieke, die opeens doodkalm lijkt te worden.

'Ach gossie, wat is er nou?' zegt ze met zo'n lieve, begrijpende stem dat Melanie er nog veel kwaaier van wordt. 'Er is toch niks mis mee om naar je vriendje te verlangen?'

'Hij is mijn vriendje helemaal niet!' schreeuwt Melanie met overslaande stem. Het slaat helemaal nergens op en Frederieke heeft het ook meteen door.

'O nee, en water is niet nat!'

Melanie staart haar met half toegeknepen ogen aan, haar lippen opgetrokken en haar tanden op elkaar geklemd. Ze probeert iets terug te schreeuwen, maar ze weet niks. Haar gebogen armen sidderen naast haar lijf en dan springt ze op Frederieke af.

Pets! Een kletsende mep in het verbaasde gezicht van Frederieke en wég is Melanie. Ze rent naar de uitgang, hoort Julia nog iets roepen, maar ze wil alleen maar weg. Weg!!!

Hijgend ligt Melanie op bed. Als een gek is ze naar huis geracet, heeft haar fiets in de heg gegooid en is in één ruk door naar boven gestormd. In haar hoofd flitsen de beelden door elkaar heen: die rotkop van Frederieke toen ze zoengeluiden maakte, de uitdagende blik waarmee ze iedereen de vergroting van het verlanglijstje liet zien, en toen Melanie het kapotscheurde, lachte ze alsof zij gewonnen had. Weer hoort ze dat kwijlende 'o, ze verlangt zo naar hem' en dat Lúú-huuk-geloei. Ze mept met haar kussen en schreeuwt haar woede uit.

'Aáárrrgh,' met een heleboel lelijke woorden erachteraan.

Maar het allerergste is de echo van haar eigen kreet: 'Hij is mijn vriendje helemaal niet.' Zó fout, zó ontzettend niet waar! Luuk is haar vriendje wél. Alleen niet zó'n vriendje. Hij is haar broervriend. En het voelt zo rot dat ze dat geroepen heeft. Ze vraagt zich af of Luuk het gehoord heeft.

Ze stampt de trap af naar de keuken, pakt een fles cola uit de koelkast en drinkt tot ze verschrikkelijk moet boeren. èèèhhh, dat lucht op!

Op de keukentafel ligt een briefje.

Wij zijn boodschappen doen.
Tot straks,
mam

Benieuwd wanneer straks is, denkt Melanie. Ze moet nú aan iemand vertellen wat er gebeurd is. Metéén. Luuk is natuurlijk nog niet thuis, maar Luuks moeder waarschijnlijk wel. Net als ze de achterdeur uit stapt, komt Julia de hoek om. Ze heeft een stapeltje papieren in haar hand.

Als ze samen met een glas cola aan de keukentafel zitten, laat Julia het zien.

'Kopietjes van je verlanglijstje. Heb je die niet gezien?

Ze hingen overal: in de fietsenstalling, aan lantaarnpalen, tuinhekjes, zelfs bij de cafetaria.'

Melanies ogen puilen bijna uit haar hoofd.

'Fredje en Veerle zijn vlak na jou weggegaan,' vertelt Julia. 'Ik en de andere meiden wilden ook, maar Alex zei dat het niet leuk was voor Luuk als we allemaal weggingen. De Waterbuffels hebben trouwens gewonnen.'

'O, fijn.' Het kan haar niks schelen. Ze gebaart dat Julia verder moet vertellen.

'Toen we naar huis fietsten, zagen we deze overal hangen. Tess en Sanne zijn nu aan het zoeken of er nog meer zijn, ook op de route naar Fredjes huis en bij school.'

Melanie zucht diep. 'Wat moet ik nou?' Nu de ergste woede gezakt is, heeft ze zin om een potje te janken.

'Geen idee,' zegt Julia. 'We zouden haar eens goed terug moeten pakken.'

'Ja, maar hoe? Op de een of andere manier wint die trut altijd,' moppert Melanie.

Dan gaat de keukendeur open. Luuk komt binnen. Hij lacht zijn filmsterrenglimlach en duikt meteen in de koelkast. Julia drinkt haar cola op. 'Ik moet naar huis. Zie je maandag!' Ze zwaait en is weg.

Luuk heeft inmiddels een dubbele boterham met kaas gemaakt en een glas melk ingeschonken.

'8-6, goed hè?' zegt hij met volle mond. 'Ik kreeg nog een vijfmeterbal. Loepzuiver in de hoek!' Hij geniet er nog van na. Dan kijkt hij haar plotseling onderzoekend aan. 'Waar was je nou opeens?'

'Heb je niks gemerkt dan?' En ze vertelt het hele verhaal.

Luuk luistert en eet en drinkt, en als Melanie klaar is, grinnikt hij schamper. 'Je moet je niet zo laten opjutten.'

'Maar op het laatst heb ik geroepen...' Ze zwijgt en kijkt hem ongelukkig aan. 'Toen heb ik geroepen dat jij mijn vriendje helemaal niet bent.'

Even is het stil. Dan begint Luuk te lachen. 'Nah, dat gelooft toch helemaal niemand!'

Melanie vindt het niet om te lachen. 'Maar ik bedoelde, je bent natuurlijk wel... maar... je weet wel, niet zó'n vriendje!'

Nu moet Luuk nog harder lachen. 'Laat dat sukkeltje nou maar lekker ontploffen!' Hij haalt het pak melk uit de koelkast en schenkt zijn glas nog eens vol. 'Zullen we naar de sport op tv kijken?' Meteen loopt hij naar de kamer.

Melanie kijkt een tijdje mee, maar in haar hoofd is ze nog steeds met Frederieke bezig. Opeens neemt ze een besluit. 'We moeten maar niet meer samen naar school lopen.'

'Hè?'

'Als we niet meer samen naar school lopen, kan ze ons ook niet meer pesten.'

Luuk haalt zijn schouders op en kijkt weer naar het scherm.

'Afgesproken?' vraagt Melanie voor de zekerheid.

'Mij best,' doet Luuk onverschillig.

'Maar verder verandert er niks, hoor,' zegt Melanie.

'Nee, tuurlijk niet.'

En dan volgen ze aandachtig de atletiekwedstrijd.

HOOFDSTUK 7

Als Melanie de volgende ochtend samen met haar vader door het park rent, komen ze zoals gewoonlijk langs het dierentehuis. Plotseling staat haar vader stil en hij zegt een lelijk woord. Melanie volgt zijn blik en ziet het ook.

Er is weer graffiti op de muur naast de ingang gespoten! Nu met zwarte verf. En behalve *MOORDENAARS* staan er nu ook bliksemschichten en doodskoppen bij.

'Dat is nu al de derde keer,' zucht Melanies vader. 'De smeerlappen!'

'Je moet de politie bellen,' vindt ze.

'Die komen voor zoiets echt niet op zondag. Vorige week hebben ze beloofd hier extra te surveilleren, maar je ziet hoe dat helpt! Gelukkig heb ik thuis een pot zwarte verf.'

Somber slenteren ze op huis aan. Daar zoekt haar vader de sleutels van het dierentehuis. Hij is altijd zijn sleutels kwijt, omdat hij er geen vaste plek voor heeft. Deze keer vindt hij ze in zijn jas aan de kapstok.

'Ga je mee de boel schilderen?'

'Even een oud shirt aantrekken,' zegt Melanie. 'Ik vraag of Luuk ook komt.'

Een poosje later staan ze met z'n drieën te kwasten en te klodderen tot alle viezigheid verdwenen is. Hun shirts zijn er niet schoner op geworden en ook hun armen en gezicht zitten onder de zwarte vegen.

'Black is beautiful!' roept Luuk.

'Zullen we jou dan ook maar overschilderen?' grijnst Melanies vader.

'Hè ja,' doet Luuk stoer.

Maar Melanies vader bedenkt zich. 'Zonde van de verf.'

Melanie vindt het niet mooi, die pikzwarte planken.

'Misschien komt hij de volgende keer met een witte spuitbus,' denkt Luuk. 'Schilderen we de boel weer wit.'

Melanies vader maakt een afwerende beweging met zijn arm. 'Hou jij eens even op! Zwart bedekt alles, hoor!'

'Ga je het dan elke keer overschilderen?' vraagt Melanie.

'Net zolang tot de lol er voor die spuiter van af is,' knikt haar vader. 'En dan hebben we nog geluk dat de voorgevel niet van baksteen is. Daar krijg je die graffiti helemaal niet af.'

'Dat zei Niels ook al,' zegt Melanie.

'Boenen met verfverdunner of zo?' bedenkt Luuk.

'Helpt niet,' legt Melanies vader uit. 'Er zijn bedrijven die die troep met speciaal spul kunnen verwijderen. Kost goud! Nee, dan liever een pot verf en een paar schildersknechtjes.'

Thuis maken ze de kwasten en zichzelf schoon. Melanies moeder trakteert hen op een beker chocolademelk en een stroopwafel. Later gaat Melanie met Luuk mee naar zijn huis. Op zijn kamer doen ze een computerspelletje. Zij wint. Meestal wil Luuk dan meteen wraak, maar deze keer lijkt hij er met zijn gedachten niet bij.

'Die graffitispuiter is nou drie keer geweest,' zegt hij bedachtzaam. 'Vorige week zondag, of eigenlijk de avond ervoor, toen op dinsdagavond en nu weer op zaterdag.' Hij krabbelt op zijn hoofd, staat op, loopt een paar rondjes door de kamer en doet de deur dicht. Dan buigt hij zich naar Melanie en fluistert iets in haar oor.

Melanies mond valt open. ''s Náchts?' roept ze.

'Ssst,' sist hij.

'Maar hoe...?'

'Weet ik veel. Laten we erheen gaan, dan kunnen we kijken waar en hoe.' Meteen loopt Luuk zijn kamer uit. 'Kom je nou?' roept hij van beneden.

Dan pas staat Melanie op en rent hem achterna.

Bij het dierentehuis voelt Luuk aan de verf die ze er een paar uur eerder op gesmeerd hebben. Het is bijna droog. Hij kijkt speurend om zich heen.

'Het moet een plek zijn waar wij hem wel kunnen zien, maar hij ons niet.'

'Hij?' vraagt Melanie verbaasd.

'Die spuiter natuurlijk!'

'Ik heb steeds gedacht dat het... dat het een zij was.'

'Oké, een plek waar wij hem, óf háár, wel kunnen zien, maar hij, óf zíj, ons niet.' Hij loopt naar de bosjes rechts van de ingang en kruipt ertussen. 'Kun jij me nu zien?'

'Nee.'

Hij komt weer terug. 'Dat is niks. Niet dichtbij genoeg. En vanaf de parkeerplaats zien ze je zo zitten.'

'Daar links achter de schutting misschien?' stelt Melanie voor.

'Dan zien we toch niks?' Luuk loopt vanaf de ingang naar de overkant van het wandelpad. Hier staat een hek vlak langs de oever van het kanaal. Hij gaat er met zijn rug tegenaan staan en kijkt rond.

Melanie komt naast hem staan. Ze kijkt uit over het water. Het kanaal is hier niet breed; de oever bestaat uit een betonnen wand. Het water staat laag, zeker een meter onder de rand.

'Je moet er hier niet in vallen,' zegt ze. 'Je komt er nooit meer uit.'

Luuk draait zich om en hangt met zijn ellebogen op het hek. 'Daar verderop is een trapje,' wijst hij. 'Denk nou eens mee over een verstopplek!'

'Aan de overkant van het kanaal is zeker te ver weg?'

'Misschien met een verrekijker. Maar als het donker is, heb je daar niet veel aan.'

'Als het donker is, ziet die spuiter zelf toch ook niks?' bedenkt Melanie opeens. 'Ik denk dat ze in de schemering komt.'

'Zou kunnen. Dan moeten we hierheen gaan als het nog licht is. Om een uur of half acht.'

Het water onder hen is spiegelglad en als ze vooroverhangen, zien ze hun eigen hoofd.

Melanie zwaait ernaar. 'Dag watermensjes, is het gezellig daar onder water?'

Luuk beweegt zijn mond en wangen alsof hij op iets kauwt, en spuugt dan in het water. Het watervrouwtje verrimpelt.

'Ah bah, je spuugt in mijn gezicht,' moppert Melanie.

Luuk grijnst breed. 'Kom op, we hebben belangrijkere dingen aan ons hoofd.' Hij draait zich weer om naar de ingang van het gebouw. Een diepe rimpel verschijnt boven zijn neus. 'We zouden binnen moeten kunnen zitten,' mompelt hij. 'Bij dat raam daar.' Hij is een poosje stil en vraagt dan plotseling: 'Kun jij de sleutels van je vader niet meepikken?'

Melanie vindt het een geweldig idee. 'Hij laat ze altijd overal slingeren, dus dat moet lukken! Dat raam is van de keuken, daar kunnen we haar goed zien.'

'Nou zeg je weer "haar". Heb je soms iemand in gedachten?'

Onwillig beweegt Melanie haar hoofd. Het is geen knikken, maar ook geen schudden. 'Mwah, je mag natuurlijk niemand zomaar... maar, eh, ik dacht misschien... Frederieke?'

Luuk kijkt haar verbijsterd aan. 'Nah! Kom je daar nou bij?'

'Nou ja, toen na mijn spreekbeurt...' Ze frummelt wat aan haar nagels. 'Ze zei dat mijn vader...'

Luuk haalt zijn schouders op. 'Ga je mee naar huis?' vraagt hij en hij begint al te lopen. Melanie gaat op een holletje achter hem aan. Als ze bij hem is, trekt ze aan zijn mouw. 'Wat denk jij? Fredje?'

'Als dat zo is...' gromt hij.

Het is maandagochtend. Melanie heeft haar boterham op en neemt nog een laatste slok thee. Haar moeder kijkt op de klok. 'Het is laat. Waar blijft Luuk toch?'

Melanie haalt haar schouders op. Ze pakt een appel van de fruitschaal en stopt hem in haar rugzak bij haar opstelschrift en haar multo. 'Geschiedenisrepetitie,' zucht ze. 'Ga je voor me duimen?'

'Hoe laat?' vraagt haar moeder. 'Ik heb geen tijd om de hele dag een beetje duimen te gaan zitten draaien, hoor.'

'Na de pauze, tussen half elf en twaalf uur zo ongeveer. Dan zit je wel goed. Bedankt vast.' Ze geeft haar moeder een dikke knuffel. 'Nou, ik ben weg. Doei!'

'En Luuk dan? Of haal jij hém op?'

'Nee, ik ga alleen.' Ze doet de keukendeur open en stapt naar buiten.

Haar moeder komt haar achterna. 'Alléén? Hoezo alleen?'

Melanie blijft op het tuinpad staan. 'Ja, alleen.' Het klinkt kortaf.

'Maar waarom... hebben jullie ruzie? Je gaat straks toch wel bij hem eten?'

'Nee. Ja. Eh... lang verhaal. Nou ga ik echt, anders kom ik te laat.' Bij de weg kijkt ze nog even om. Ze ziet nog net dat haar moeder naar het huis van Luuk loopt. Nieuwsgierig, denkt Melanie. Ze wil helemaal niet over dat gepest van Frederieke praten. Stom gedoe allemaal! Luuk en zij hebben afgesproken dat hij vroeg zou gaan en zij zo laat mogelijk.

Op de hoek van de straat waar Frederieke altijd uit komt, slaakt ze een zucht van opluchting. De straat is leeg! Zij en Veerle zijn natuurlijk al op school. Rustig loopt ze verder. Met een beetje geluk zijn de meeste kinderen al binnen en kan ze gewoon doorlopen naar haar plaats.

Dat klopt. Ze is wel op tijd, maar op het nippertje. De stoelen staan al in de kring en Melanie gaat vlug zitten. Maar dat gaat niet ongezien.

'Melanie! Gelukkig, daar ben je!' De stem van Frederieke schalt door het lokaal.

Melanie krimpt in elkaar. Néé, hè! Wat nóú weer?

'Waar bleef je toch? Luuk is er allang. We waren al bang dat je ziek was!'

Melanie stuurt een vernietigende blik in haar richting. 'Kun jij niet doodvallen of zo?'

'Nou nou, Melanie, houden we het wel gezellig?' De meester kijkt haar streng aan, maar gelukkig begint hij dan met het kringgesprek.

De ochtend gaat voorbij, zelfs de geschiedenisrepetitie krijgt ze af, maar Melanie is er met haar hoofd niet bij. Voortdurend heeft ze het gevoel dat Frederieke naar haar kijkt. Ze probeert onopvallend te kijken of het echt zo is, maar steeds zit ze gewoon te werken of met Veerle of Anouk te kwekken.

Om twaalf uur loopt Melanie met Julia naar buiten. 'Ik loop een stukje met jou mee, goed?'

'Leuk!' vindt Julia. 'Moet je boodschappen doen?' Ze woont vlak bij het winkelcentrum.

Melanie schudt haar hoofd. Ze ziet dat Luuk op het trapveldje is met Alex en Mustafa. Dat is de afspraak: zij gaat meteen weg en hij komt later.

Als ze het plein af lopen, hoort Melanie voetstappen achter zich.

'Melanie, Melanie, wacht even, Luuk is op het trapveldje.'

Melanie kreunt. Oeoeoeh, Fre-de-rie-ke!!!

'Luuk!' roept Frederieke. En nog een keer, veel harder: 'Lúúhúúk! Je vriendin is hier. Kom je?'

'Hou me vast, anders vermóórd ik haar,' zegt Melanie binnensmonds tegen Julia.

'Hè ja, mag ik helpen?' Julia kijkt zo smekend, dat Melanie ondanks alles moet lachen. Samen lopen ze in de richting van Julia's huis.

Frederieke en Veerle roepen nog een paar keer, maar uiteindelijk geven ze het op. Gelukkig komen ze niet achter Melanie en Julia aan.

'Ga je mee bij mij eten?' vraagt Julia.

'Nee, Luuks moeder rekent op me. Ik ga straks via de Lindenlaan.'

Haar vriendin kijkt haar verbaasd aan. 'Dat is toch om? Waarom loop je niet met Luuk mee? Net als altijd?'

'Snap je dat niet?' Melanie wordt er kriebelig van. 'Ik wil van dat gezeur van Fredje af zijn. Ze achtervolgt ons en doet net alsof we dikke verkering hebben. Ik word gek van die meid.'

'Zeg het tegen de meester.'

Melanie trekt een gezicht alsof ze nog nooit zoiets stoms gehoord heeft.

Julia snapt het. 'Tegen juf Maaike dan.'

'Wat moet ik zeggen? Dat ze me achternaloopt? Dat is niet verboden. En ze scheldt me ook niet uit. Eigenlijk doet ze niks, maar ik word er gestóórd van. Aáárrrgh!' gromt Melanie.

Bij de volgende hoek moet Julia rechtsaf en gaat Melanie de andere kant op. Ze zet het op een lopen, want ze wil niet al te laat komen. Hijgend komt ze bij Luuks huis aan.

Zijn moeder staat in een pannetje te roeren.

'Ben je alleen? Luuk heeft toch geen straf?'

'Nee, hij komt er zo aan.' Melanie kijkt in de pan. 'Lekker, kippensoep! Zal ik de kommen pakken?'

Als ze net aan tafel zitten, komt Luuk binnen. 'Hoi mam. Lekker, soep.' Hij schept zijn kom vol en begint meteen te lepelen.

'Eet smakelijk, Luuk,' zegt zijn moeder. 'Waarom ben je zo laat?'

'O ja, eet smakelijk. Nog even gevoetbald,' bromt hij tussen twee happen door.

Melanie pakt een boterham en doopt hem in de soep. 'Mmm, heerlijk!'

Luuks moeder kijkt van de een naar de ander. Haar lepel zweeft ergens tussen de kom en haar mond. 'Is er nou wat of is er nou niks?' vraagt ze eindelijk.

Luuk en Melanie kijken elkaar aan. 'Nee hoor, niks,' zeggen ze tegelijk.

Zijn moeder schudt haar hoofd en stopt eindelijk de lepel in haar mond.

Na het eten is het volgens haar Luuks beurt om de spullen in de vaatwasser te stoppen.

'Dan ga ik maar vast,' zegt Melanie.

In haar eentje loopt ze de straat uit. Wat is dit ongezellig, zeg. Maar ja, denkt ze, je moet er wat voor over hebben als je niet gepest wilt worden. Als ze de hoek omslaat, ziet ze in de verte Frederieke en Veerle staan. Die wachten natuurlijk op haar en Luuk! Voor de zekerheid kijkt Melanie achterom, maar

Luuk is in de verste verte niet te zien. Ha, wat zullen ze balen! Was het toch een goed idee van haar geweest om alleen te gaan, denkt ze. Vol goede moed stapt ze op de meiden af.

'Hé, Melanie,' begint Frederieke.

'Hé, Melanie,' echoot Veerle.

Melanie mompelt wat. Nu ze vlak bij hen is, voelt ze zich opeens niet meer zo zeker. In gedachten hoort ze de stem van haar moeder: Erboven staan, erboven staan.

De twee meisjes gaan ieder aan een kant van haar lopen.

'Wat jammer voor je,' begint Frederieke.

Jammer? denkt Melanie verbaasd. Ze kijkt opzij, maar Fredje trekt een onschuldig gezicht. Zó onschuldig dat het juist verdacht is.

'Echt jammer,' gaat ze verder. 'Jullie leken altijd zo gelukkig!'

Zie je wel! Melanie begint zich alweer op te winden. Net doen of het je niet kan schelen, probeert ze zichzelf wijs te maken.

'Zielig voor je,' vindt Veerle.

'Of voor Luuk,' zegt Fredje. 'Het ligt er maar aan wie het uitgemaakt heeft.'

Nou dat weer! Uitgemaakt! Melanie gaat wat harder lopen. Haar moeders stem hoort ze niet meer. Ze drukt haar nagels in haar handpalmen en klemt haar kaken op elkaar.

Frederieke weet van geen ophouden. 'Heeft hij het uitgemaakt? Zeg het nou maar. Zal ik anders eens met hem gaan praten?'

Het klinkt zo slijmerig, dat Melanie het niet meer uithoudt. 'Bitch! Hou toch op! Ik zeg het tegen je vader, hoor!'

'Moet je doen,' lacht Frederieke. 'Ik wil je toch alleen maar helpen? Dat vindt mijn vader juist lief van me!'

Met een ruk staat Melanie stil. De andere twee kijken haar met opgetrokken wenkbrauwen aan. Fredje glimlacht zelfs. Melanie snuift een paar keer en balt haar vuisten. Die valse blik! Die stompzinnige grijns! O, ze zou er het liefst haar nagels overheen halen, maar...

Ze zuigt haar adem naar binnen, klemt haar kaken op elkaar... en gaat er dan zo hard ze kan vandoor. Haar voeten roffelen op de straat. Pas bij school mindert ze vaart. De twee meiden zijn haar niet achternagekomen. Misschien wachten ze op Luuk. Hij zal niet voor ze op de loop gaan, denkt ze. Zij wel.

'Melanie!' Dat is de stem van Sasja. Tinka en zij staan bij het fietsenhok naar haar te zwaaien.

Melanie wrijft het zweet van haar voorhoofd. Niks laten merken, neemt ze zich voor. 'Hoe is het met de puppy's?' vraagt ze als ze bij hen is.

'Ze hebben hun oogjes open,' vertelt Sasja. 'Zo lief, net bruine kralen! Je moet gauw weer eens komen!'

'Morgenmiddag,' belooft Melanie. 'Dan kom ik op de fiets naar school, kan ik na half vier meteen met jullie mee.' Ook handig om Fredje te ontwijken, denkt ze erachteraan. Maar dat zegt ze niet tegen de anderen.

HOOFDSTUK 8

Dinsdagavond. Melanie heeft keihard moeten fietsen om voor etenstijd thuis te zijn. De puppy's waren nog schattiger dan de vorige keer, vertelt ze aan tafel.

'Je hebt nog niet eens gevraagd of je er een krijgt,' zegt Bart.

Melanie kijkt hem met grote ogen aan. Even springt er een vonkje hoop in haar hart, maar dan ziet ze het gezicht van haar moeder.

'Dat is flauw,' moppert zij tegen Bart. 'Je weet hoe graag je zusje een hondje wil en je weet ook hoe vervelend ik het vind dat het niet kan.'

'Sorry, ik bedoelde juist dat ik het knap vind dat ze er niet over zeurt,' legt Bart uit.

Melanie haalt haar schouders op. 'Vier van de vijf zijn al uitgezocht door een nieuw baasje en ze houden er een zelf. Het zou dus niet eens kunnen.'

Ze schept wat appelmoes op en eet haar bord leeg. 'Ik ga straks naar Luuk, goed?' zegt ze dan.

'Heb je geen huiswerk?' vraagt haar vader.

'Ik niet. Luuk moet een spreekbeurt voorbereiden.' Ze verzint het zonder aarzelen. 'Eén keer raden waarover,' daagt ze de anderen uit.

'Waterpolo!' klinkt het driestemmig.

Lachend gaat Melanie de keuken uit. Meteen verdwijnt de

lach van haar gezicht en ze kijkt spiedend rond. Waar zijn de sleutels van haar vader? Laatst haalde hij ze uit zijn jaszak in de hal, herinnert ze zich. Terwijl ze naar de kapstok loopt, ziet ze zijn sleutelbos op het kastje onder de spiegel liggen. Dat is wel héél makkelijk. Ze graait de bos weg en stopt hem meteen in haar broekzak. Dan hoort ze haar vader aankomen en ze schiet vliegensvlug de wc in. Als ze er een paar minuten later uit komt, is hij nergens te zien.

'Doei!' roept ze luidkeels tegen niemand in het bijzonder en ze rent via de tuin naar Luuk.

Hij komt haar tegemoet bij de vijver, die op de plaats van hun oude zandbak gekomen is.

'Ik heb gezegd dat ik naar jou ging,' zegt hij.

'Ik ook,' lacht Melanie.

'Dan moeten ze ons niet samen weg zien gaan.'

'We nemen het achterpad,' zegt Melanie. 'Hopelijk kijkt er niemand uit het raam.'

In het park is het stil. Het waait stevig en er drijven donkergrijze wolken langs de hemel. Geen weer voor een fijne avondwandeling.

'Je weet toch wel zeker dat er niemand meer in het gebouw is, hè?' vraagt Luuk.

Melanie kijkt op haar horloge. 'Zeven uur. Om zes uur gaat Jet weg en mijn vader heeft op dinsdag geen avondspreekuur.'

Toch lopen ze voor alle zekerheid eerst het pad langs het kanaal helemaal af en dan achter het gebouw langs terug om het van alle kanten te bekijken. Het ziet er verlaten uit.

'Gek idee, dat daar twintig honden en dertig katten zitten,

zonder dat er verder iemand bij is, vind je niet?' zegt Melanie.

'Twíntig honden?' Luuk vindt het er wel heel veel. Het is dat die beesten veilig in kooien zitten, anders ging hij dat hele gebouw niet in.

Ze lopen langs de schutting.

'Dit is misschien toch ook wel...' zegt hij bedachtzaam. 'Even kijken.' Tussen de planken zitten vrij brede kieren en hij gluurt er op verschillende plekken tussendoor. 'Hé Mel, hier zit je ook best!' roept hij.

'Ja lekker, straks gaat het misschien wel regenen.' Melanie haalt de sleutelbos uit haar broekzak en rinkelt ermee. 'Kom nou maar, ik heb ze niet voor niks gepikt!' Na een paar keer proberen heeft ze de goede sleutel te pakken en dan staan ze in het halletje. Ze doet de deur meteen weer op slot. Door de klapdeuren komen ze in de wachtruimte.

Luuk snuift. 'Wat een rotlucht hangt hier.'

Melanie snuffelt ook. 'Ik ruik niks bijzonders.' Haar stem klinkt hol in de betegelde ruimte. 'Raar als er niemand is.'

'Vind je het eng?' vraagt Luuk stoerder dan hij zich voelt.

Ze schudt haar hoofd en gaat linksaf naar een korte gang. Daar is de deur naar de keuken. Weer zoekt ze een sleutel. Het slot knarst en de deur piept. 'Het voelt toch als inbreken,' fluistert ze.

'Het ís inbreken en je hoeft niet te fluisteren, toch? Of zouden de honden ons kunnen horen?'

'Nee, die zitten verderop, door die deur,' wijst ze. 'Zullen we er even gaan kijken?'

Luuk maakt een schrikbeweging. 'Nee, nee!'

Melanie lacht plagerig. 'Het lijkt wel of je bang bent. Watje!'

'Bang? Doe effe normaal!' Luuk klinkt geïrriteerd. Soms zou hij gewoon willen zeggen dat hij echt bang is voor honden. Ze zou eens moeten weten hoe zijn hart tekeergaat als zo'n beest te dichtbij komt. Dat de rillingen dan over zijn rug lopen en zijn handen nat worden van het zweet. 'We moeten toch opletten of die spuiter komt!' probeert hij haar af te leiden. Hij loopt naar het raam. 'Je kunt het hiervandaan goed zien.'

'Hij of zij ons ook,' zegt Melanie. Ze schuift de vitrage dicht. 'We moeten geen licht aandoen.'

Opgelucht dat ze niet meer naar de honden wil, kijkt Luuk de keuken rond. Voor geen goud zou hij meegaan, maar hij wil ook niet dat ze hem een watje vindt. Aan de muur hangen foto's van kattenogen, mooi uitvergroot. In de hoek staat een grote wasmachine met een wasmand erop. Op de tafel ligt een stapel dekentjes. Hij strijkt er met zijn hand overheen.

'Voor de honden,' vertelt Melanie. 'Krijgen elke dag een schone.'

'Elke dag? Goed, zeg.'

Melanie pakt een stoel en zet hem naast het raam. Door de vitrage heen heeft ze goed uitzicht op de muur die al een paar keer beklad is. Het is nog licht buiten. Luuk pakt ook een stoel en zet hem tegenover haar, zodat hij het pad langs het kanaal kan zien.

'Bijna kwart voor acht,' zegt hij na een blik op de keukenklok. 'Hoe laat moet jij thuis zijn?'

'Niks afgesproken. Ze weten dat ik bij jou ben.'

Ze zitten.

Ze kijken.

Ze wachten.

Melanie kijkt op haar horloge. 'Jemig, vijf voor acht pas. Ik heb dorst.' Ze loopt naar de koelkast. 'Melk of sinaasappelsap?'

'Melk.'

Met een glas melk voor Luuk en sap voor zichzelf komt ze weer bij het raam zitten.

Ze drinken.

Ze kijken.

Ze wachten.

'Had Frederieke vandaag nog nieuwe grappen?' vraagt Luuk.

'Ik heb een andere route genomen. Op school deed ze niks. En vanmiddag was ik op de fiets.'

'Op de fiets? Waarom?'

'Na schooltijd ben ik met Sasja en Tinka meegegaan. De puppy's hebben hun oogjes open en ze spelen al een beetje met elkaar. Zó leuk. Je moet echt eens een keer meegaan.'

Luuk bromt iets wat een antwoord moet voorstellen.

Melanie glimlacht, maar dan denkt ze weer aan Frederieke. 'Ik vind het zo ongezellig om alleen naar school te gaan,' klaagt ze.

'Wil je weer samen? Maandagmiddag stond ze op de hoek. Ik ben recht op haar afgelopen en op het laatst stapte ze gauw opzij. Ze zei niks.'

'Tegen jou durft ze niet. Ze is bang voor je.'

Luuk schiet in de lach. 'Nee, jij bent een lieverdje! Ik heb nog nooit haren uit haar hoofd getrokken.'

'Jij trekt het je niet aan. Ik word er zo kwaad om.'

'Dat vindt ze leuk. Bij mij is er geen lol aan.'

Melanie denkt een poosje na. 'Ik ga toch maar alleen.'

'Wat jij wilt,' zegt Luuk en hij haalt zijn schouders op.

Ze zitten.

Ze kijken.

Ze wachten.

In de keuken begint het al te schemeren.

'Twee minuten voor half negen.' Luuk brengt zijn glas naar het aanrecht en trekt uit verveling de keukenla open. 'Wat een troep! Bestek, een halve rol koekjes, pennen...' Hij pakt een schrift, bladert erin, legt het terug en rommelt verder. Doosje punaises, bolletje wol, verkreukelde strippenkaart, een sleutelbos. Hij houdt hem omhoog naar Melanie.

Ze komt bij hem staan. 'Reserve. Van alle deuren in het gebouw. Niet van iemand thuis.'

Hij doet de la weer dicht.

'Wat doen we eigenlijk als die spuiter komt?' vraagt Melanie.

'Eh... nah, kijken wie het is,' bedenkt Luuk.

'Maar als we haar niet kennen? Of hem?'

Luuk trekt een piekergezicht en wrijft over zijn hoofd.

'En als hij of zij niet komt? Wachten we tot het donker is of nog langer?' gaat Melanie door. Als ze geen antwoord krijgt, loopt ze terug naar het raam en bevriest dan. Haar tong is met geen mogelijkheid in beweging te krijgen en ademen is opeens een zwaar karwei. Ze probeert haar hoofd naar Luuk te draaien om hem te waarschuwen, hij moet komen, nú komen, maar ze kan alleen maar naar buiten kijken.

'Negen uur,' zegt Luuk bij het aanrecht.

Melanie geeft geen antwoord.

'Om negen uur gaan we naar huis,' herhaalt Luuk. 'Wat sta je daar nou stom?'

Die opmerking ontdooit haar. 'Hij is er,' fluistert ze hees.

Luuk vloekt en is met twee grote sprongen bij haar. Op het pad staat een mountainbike, en een knul in een zwart leren jack en met een wollen mutsje op is bezig de muur te bespuiten. De M is al af en hij werkt nu aan de O. Ze kijken ademloos toe, maar als hij aan de tweede O begint, komt Melanie opeens in beweging. Wild kijkt ze om zich heen, geeft Luuk een duw en rent naar de keukendeur.

'Wat ga je doen?' roept Luuk, maar ze is al verdwenen. Hij rent haar achterna door de gang en ziet de klapdeuren nog heen en weer zwaaien. Dan ziet hij haar bezig bij de buitendeur. Ze probeert de sleutel in het slot te steken en als dat eindelijk lukt, kan ze hem niet omdraaien. De verkeerde! Met onhandige vingers zoekt ze de goede, maar dan kijkt de knul haar kant op. Meteen rent hij weg en als Luuk en Melanie naar buiten stappen, zien ze hem nog net op de mountainbike springen.

'Hé idioot, kom terug!' schreeuwt Melanie. Ze zet het op een lopen, maar de knul fietst keihard weg. Aan het eind van het pad slaat hij linksaf en als Melanie daar hijgend aankomt, is hij in geen velden of wegen meer te zien. Stampvoetend van woede blijft ze nog even staan en sjokt dan terug naar Luuk.

'Stom,' moppert Luuk. 'We hadden het heel anders aan

moeten pakken, vind ik.'

'Ja hallo, hoe dan? Jij deed ook niks!'

'We hadden de politie moeten bellen. Of je vader.'

Melanie kijkt hem wanhopig aan. 'Dat is nu te laat. We hebben niet eens een goed signalement.' Ze rilt in haar dunne shirt. De wind is nog harder gaan waaien. 'Zullen we maar naar huis gaan?' stelt ze moedeloos voor.

'Je moet de deur nog op slot doen,' zegt Luuk.

Ze gaan naar binnen, zetten de stoelen op hun plaats en ruimen de glazen op.

'Al dat gedoe voor niks,' zucht Melanie. Ze had zich er zo veel van voorgesteld.

Luuk probeert haar te troosten. 'Hij is vast zó geschrokken dat hij nooit meer terugkomt.'

Melanie haalt haar schouders op.

Ze doet alle deuren zorgvuldig op slot en kijkt nog even naar de muur. 'Hij was net aan de R begonnen. Nu staat er MOOI. Dat is in elk geval beter!' Ze grinnikt, maar het klinkt teleurgesteld.

Zwijgend sjokken ze naar huis. Binnen is het licht al aan. Bij de vijver staan ze stil.

'Vertel jij het aan je ouders?' vraagt Luuk.

'Er is niks te vertellen. Als we wisten wie hij was of waar hij woont...' Ze woelt met haar vingers door haar krullen. 'Op de een of andere manier ben ik toch blij dat het Frederieke niet was. Stom, hè?'

Luuk weet er niets op te zeggen. Ze geven elkaar een vuistje en lopen allebei naar hun eigen keukendeur. Melanie wil net de deurknop pakken, als ze de stem van haar moeder hoort.

'Het is ook altijd hetzelfde liedje. Gék word ik ervan!' schreeuwt ze.

Melanie draait zich om en leunt met haar rug tegen de muur. Waar gaat dit over? Ze hoort dat er een keukenla wild opengetrokken wordt en na wat gerommel met een klap wordt dichtgeslagen. Meteen ondergaat de volgende la dezelfde behandeling en daarna nog een. Tegelijkertijd klinkt er een onverstaanbaar maar duidelijk nijdig gemopper.

'Heb je ze al?' Dat is haar vader.

'Héb je ze al? Héb je ze al?' Haar moeders stem slaat over. 'Waarom doe ik dit eigenlijk? Ik lijk wel gek! Het zijn jouw sleutels, hoor!' Nijdige voetstappen en een dichtslaande deur.

Melanie schrikt zich wezenloos. Ze voelt in haar broekzak. Dáár zijn ze. Maar dat durft ze nu echt niet te zeggen.

En hier blijven staan kan ook niet.

Voorzichtig doet ze de deur open. De keuken is leeg. In de hal zit haar vader op de grond bij het kastje onder de spiegel. Hij heeft een laatje omgekieperd en zoekt nu tussen wanten en mutsen.

'Hoi, pap,' zegt ze zo gewoon mogelijk.

'Zo, ben je daar eindelijk?' Het klinkt niet bepaald vriendelijk.

Blijkbaar heeft haar moeder het gehoord, want die komt de kamer uit gestormd. Ze glijdt bijna uit over een muts, en een onweersbui breekt los. Het dondert en hagelt en bliksemt en daartussendoor schetteren vragen, zonder dat er ruimte is voor een antwoord. Of ze toch eindelijk ook nog eens thuiskomt. En waar ze zo laat vandaan komt. En waar ze geweest is. En néé, ze was niet bij Luuk. En Luuk was niet hier. Nou? Nou???

Melanie durft niet naar haar gezicht te kijken. 'Maar ik was wel mét Luuk,' zegt ze voorzichtig. 'Gewoon in het park. Beetje gerend. Niks...'

Haar moeder laat haar niet uitpraten. 'Gewóón? Gewoon in het... Maak dat je boven komt.' Ze wijst met een vinger naar de trap.

Met een paar grote sprongen is Melanie boven. Haar hart imiteert een op hol geslagen drumband en haar hoofd staat op ontploffen. Ze valt op haar buik op bed. Auw! De sleutelbos drukt gemeen in haar dij. Die sleutels! Die moeten terug. Ze had verwacht dat het lastig zou zijn om ze mee te pikken, maar terugleggen wordt pas echt moeilijk. Onder haar kussen lijkt voorlopig de beste plek. Ze merkt dat ze vreselijk moet plassen. Stil sluipt ze over de overloop naar de badkamer. Haar ouders moeten haar nu maar niet horen. Ze schrikt er bijna van als haar plas in de wc klatert en doortrekken is helemaal een hels lawaai. Boven aan de trap blijft ze even staan luisteren. Haar vader rommelt nog steeds in het ladekastje. Eigenlijk zielig voor hem, bedenkt Melanie. In haar kamer pakt ze de sleutels. Zou ze...? Twijfelend gooit ze de sleutelbos heen en weer van haar ene in haar andere hand.

Dan legt ze hem weer onder haar kussen en ze kleedt zich uit. Het is nu kwart over negen, ziet ze op haar wekker. Haar ouders gaan gewoonlijk pas tegen twaalven naar bed. Zo lang moet ze dus wakker zien te blijven. Ze pakt haar boek, knipt haar lampje aan en begint te lezen.

Hoofdstuk 9

Het verhaal is hartstikke spannend, maar toch moet ze in slaap gevallen zijn. Want opeens wijst de wekker vijf over twee en haar boek ligt op de grond. Melanie doet gapend haar lampje uit. Ze trekt haar kussen beter onder haar hoofd. Haar hand voelt een rare bult onder het kussen. Slaperig betast ze het ding en opeens zit ze rechtovereind.

De sleutels! Ze moet de sleutels terugleggen! Nu! Meteen!

Klaarwakker loopt ze op haar tenen naar de deur. Op de overloop blijft ze even staan. Voor het raam boven de trap hangt geen gordijn, maar er valt nauwelijks licht doorheen. Buiten is het donker, in huis is het stil, nergens brandt nog licht en Melanie vindt het eng. Belachelijk eng. Ze is anders nooit bang in het donker.

Met haar handen tastend langs de muur zoekt ze haar weg naar de trap. Haar ogen raken gewend aan het weinige licht en stap voor stap gaat ze naar beneden. Nooit eerder heeft ze gemerkt dat blote voeten op houten treden zo veel geluid maken, niet alleen bij het neerzetten, maar vooral bij het optillen. Alsof je plasticfolie lostrekt van een schaaltje.

In de hal tocht het een beetje. De deur naar de keuken staat open. Oeh, beweegt daar iets? Ze legt voorzichtig, stilstil, de sleutels op het kastje. Dan stapt ze naar de keukendeur en kijkt om het hoekje. Leeg! Ze draait zich om en duikt in elkaar van schrik als ze plotseling gebrom hoort. Maar meteen herkent ze het geluid: de koelkast slaat aan! Een zenuwachtig gegiechel borrelt in haar op en ze bijt op haar hand om het de kop in te drukken.

Doe niet zo idioot, moppert ze in zichzelf. Je bent in je eigen huis, in je eigen keuken en er is niks aan de hand. Ga rechtop staan, kijk rond en doe normaal!

Het helpt. Ze ziet vaag de tafel met de fruitschaal erop, het opgeruimde aanrecht en de omtrek van de koelkast. Eigenlijk heeft ze wel trek in iets, merkt ze nu. Ze pakt een banaan van de schaal en trekt de schil los. Met haar rug tegen het aanrecht geleund kauwt ze op het zoete vruchtvlees. Haar gedachten gaan terug naar de gebeurtenissen van de vorige avond. Misschien had Luuk wel gelijk en komt die kerel van schrik nooit meer terug. Als dat zou kunnen! En daar hadden zij tweeën dan toch maar mooi voor gezorgd. Ze steekt het laatste stukje banaan in haar mond en gooit de schil in de prullenbak. Het deksel valt met een harde klap...

'Oeoeoehhh!' Melanie slaat haar handen voor haar mond. Stom stom stom! Doodstil wacht ze af of er een reactie van boven komt. Een eeuwigheid later durft ze pas weer adem te halen. Ze sluipt terug naar de trap. Als ze langs het kastje met de sleutels komt, bedenkt ze opeens dat het niet kan. Die sleutels kunnen daar niet liggen. Papa is niet gek! Hij heeft zelfs ín het kastje gezocht, hij móét dus geweten hebben dat hij ze daar ergens neergelegd had. Ze pakt de sleutels op en denkt razendsnel na. Niet op het kastje, niet erin. Waar dan? In de keuken? Daar heeft haar moeder gezocht. In de kamer? Of nee, in zijn jas! Als hij daar gezocht heeft, zal hij denken dat hij niet goed gevoeld heeft.

Er hangen vrij veel jassen aan de kapstok. Melanie kan het niet goed zien, maar op de tast laat ze de sleutels in zijn jaszak glijden. Ze zucht van opluchting. Nu nog even vlugvlug de trap op, de deur van haar slaapkamer zo zacht mogelijk dicht en dan laat ze zich in bed ploffen. Alsof ze uren weg is geweest. Acht minuten, zegt haar wekker.

De volgende morgen kan Melanie moeilijk uit bed komen en als ze eindelijk zover is, blijft ze lang onder de douche staan. Het is een sombere dag en het regent zachtjes, ziet ze door het raam. Snel trekt ze haar spijkerbroek en een vrolijk roze shirtje aan en springt dan de trap af. Haar vader zit aan de ontbijttafel, haar moeder maakt zich gereed om naar haar werk te gaan.

'Goeiemorgen,' roept Melanie vrolijk.

Haar ouders reageren brommerig.

Melanie schenkt voor zichzelf een glas sap in.'Jij ook, pap?'

'Mmmneuh, doe maar koffie.' Hij geeft haar de lege mok aan.

Haar moeder komt binnen met haar regenjas over haar arm. 'Als je een volgende keer zegt dat je naar Luuk gaat, dan reken ik erop dat je ook bij Luuk bént.' Ze zet haar tas neer en begint haar jas aan te trekken. Ondertussen praat ze verder. 'Heb je dat begrepen, Melanie? In zijn huis dus en niet... Hè?' Ze voelt in haar jaszak. 'Wat is dát nou?' Dan komt haar hand tevoorschijn met de sleutelbos. Met grote ogen en open mond kijkt ze naar haar man. 'Nou jááá.'

Melanies vader kijkt al net zo verbaasd. 'Daar heb ík ze niet in gestopt,' zegt hij.

'Nee, ík dan!'

Ze kijken naar elkaar, naar de sleutels, naar Melanie, die zich ontzettend van den domme houdt, en weer naar elkaar. Dan schieten ze in de lach en geven elkaar een kus.

'Tot vanmiddag,' roept Melanies moeder. Ze geeft Melanie een zoen en een aai over haar hoofd en vertrekt naar het ziekenhuis.

Melanie smeert een boterham met bosbessenjam en neemt een flinke hap. Korte tijd later haalt ze haar fiets uit de schuur en vertrekt naar school.

Na schooltijd verzamelen de meiden die zaterdag op Melanies feestje zullen komen, zich bij het fietsenhok. Als jonge eendjes achter hun moeder karren ze achter Tinka aan de stad uit. Eenmaal op de dijk waaieren ze wijd uit naast elkaar. Het weer is opgeknapt, het is droog en ze hebben de wind in de rug. Ze zien Hessel een stuk voor hen uit rijden.

'Fietst hij niet met jullie mee?' vraagt Melanie.

'Soms wel,' zegt Sasja. 'Maar nu heeft hij haast. Zijn moeder is ziek en hij moet op zijn zusjes passen.'

Achter hen klinkt getoeter. De meiden schieten naar de kant van de weg, maar als de auto voorbij is, gaan ze weer met drie, vier naast elkaar fietsen. Ze zijn op weg naar Tinka's huis. Haar moeder heeft voor dierenpakken gezorgd en die gaan ze passen.

Ze slaan een lang grindpad in met aan één kant bomen en aan de andere kant een veld waar schapen grazen.

Aan het eind, vanaf de weg nauwelijks zichtbaar, staat een klein huis met een rieten dak.

'Leuk, zo midden in het bos,' vindt Julia.

'Nou, middenin,' zegt Tinka. 'Aan de rand. Het huis hoort bij het natuurgebied. Govert, de vriend van mijn moeder, is hier boswachter.'

Ze zetten hun fietsen tegen de zijkant van het huis en lopen achterom. Daar staat nog een huisje, dat zelfs kleiner is dan het voorste, maar toch een huis.

Tinka loopt erheen en wenkt de anderen dat ze mee moeten komen. 'Hier is het atelier van mijn moeder,' zegt ze, terwijl ze de deur opendoet.

Ze staan meteen in een kamer. In het midden staat een grote tafel met een naaimachine erop. Langs één wand zijn planken waarop allerlei stoffen liggen, aan de andere kant staat een kast met heel veel laatjes. Verder staan er overal dozen en bakjes met rommeltjes erin en grote klossen draad.

'Hatsjie!' doet Melanie en nog een keer: 'Hatsjie!'

'Ook goeiemiddag,' zegt de moeder van Tinka, die uit een aangrenzende kamer komt.

'Dag, mevrouw,' zeggen de meiden en ze geven haar een hand.

'Leuk om jullie eens in het echt te zien,' vindt ze. 'Ik heb zo veel verhalen gehoord over het schoolkamp.'

Ze giechelen een beetje verlegen.

'Laten we eerst maar wat eten en drinken, dan kijken we

straks naar de pakken,' zegt Tinka's moeder en ze neemt hen mee naar het andere huis.

Het is gezellig in de keuken. Govert is er ook en ze passen precies met z'n allen om de ronde tafel. Ze eten broodjes met hagelslag en krentenbollen met kaas, maar de meiden denken maar aan één ding: de pakken. Eindelijk gaan ze terug naar het atelier. In de zijkamer kijken ze hun ogen uit. Aan lange stangen hangen de prachtigste kostuums: baljurken, boevenpakken, uniformen én dierenpakken.

'Wauw,' zucht Julia.

'Mooi, hè?' Sasja is hier vaker geweest en ze geniet van de verraste gezichten van de andere zes.

'Hatsjie,' niest Melanie.

'Jij moet hier maar niet al te lang blijven,' zegt Tinka's moeder. 'Volgens mij kun je niet tegen het stof.' Ze trekt een rek met dierenpakken naar voren. 'Acht stuks,' telt ze. 'Komen er nog meer kinderen op je feestje of zijn dit ze allemaal?'

'Ook nog vier jongens,' vertelt Melanie. 'Maar die willen niet verkleed. Stom, hè?'

Tinka's moeder is het helemaal met haar eens. Ze neemt een zwart pak van teddybeerstof uit het rek en houdt het Julia voor. 'Probeer jij dit maar.' Terwijl Julia zich omkleedt, kijkt Tinka's moeder met half dichtgeknepen ogen naar Melanie. 'Jij bent wat kleiner. Ik denk...' Ze zoekt tussen de kleren. 'Ik denk dat dit meer geschikt is voor jou. Lekker glad en niet stoffig.'

Melanie krijgt een wit pak met zwarte vlekken. 'Een dalmatiër,' weet ze. Het pak is een soort overall met een lange rits van voren; er zit een capuchon aan waar oren op genaaid zijn en even later staan er twee honden in de kamer.

Tinka, Nikita en Bibi vragen om een kattenpak.

Sasja wil graag een bruin hondenpak met lange haren. 'Net als Viola,' zegt ze.

Ten slotte krijgen Sanne en Tess een pak en dan bekijkt Tinka's moeder hen tevreden. 'Als jullie willen, kan ik jullie gezicht schminken. Dan is het helemaal af.'

'Hatsjie! Doet u dat zaterdag dan ook?' Melanie haalt luidruchtig haar neus op.

'Natuurlijk. Meteen als ik de pakken kom brengen, want die mogen jullie niet meenemen.'

'Jammer,' roepen ze in koor. Ze springen in het rond en blaffen en miauwen luidkeels.

Melanie hoest en proest ertussendoor. Ze houdt het niet lang vol en trekt het pak uit. 'Ik ga naar buiten,' zegt ze.

Even later komen de anderen ook.

'Hebben jullie al sponsors?' vraagt Melanie.

De andere meisjes kijken elkaar geheimzinnig aan.

'Jaaa,' zegt Julia plagerig. 'Dat zou jij wel willen weten, hè?'

'Maar dat zeggen wij lekker niet,' doet Sasja er nog een schepje bovenop.

'Huh, flauw,' vindt Melanie.

'Helemaal niet,' roepen de anderen.

'Een gewoon cadeautje weet je toch ook niet van tevoren,' zegt Tinka.

Daar kan Melanie weinig op zeggen. Ze moppert een beetje, maar dat meent ze niet echt.

Tinka neemt hen mee het bos in. Ze spelen er een tijd en

later krijgen ze in de keuken limonade en een koekje. Dan stappen ze weer op de fiets. Sasja moet in haar eentje verder.

'Geeft niks,' roept ze. 'Ben ik gewend.'

Tinka zwaait hen uit en de zes meiden trappen terug naar de stad.

Bij het park slaat Melanie rechtsaf, richting Groenhove. De anderen gaan rechtdoor. 'Tot morgen!'

De tekst naast de ingang is alweer overgeverfd, ziet Melanie. Ze zet haar fiets in het rek en gaat naar binnen. In de wachtkamer zitten een stuk of vijf mensen met honden en katten. Het spreekuur is dus nog bezig. De assistente begroet haar vriendelijk.

'Hoi, Irma,' zegt Melanie en ze gaat bij haar achter de balie zitten.

Irma groet haar vriendelijk terug, maar tijd voor een praatje heeft ze niet. Ze heeft het druk met allerlei dingen en Melanie kan niet veel voor haar doen, behalve een vers kopje koffie halen. Soms mag ze dozen speciaal voer uitpakken en op de planken zetten, maar dat is nu niet nodig. Als Irma met een klant bezig is, neemt ze de telefoon wel eens op, maar de vragen zijn natuurlijk altijd te lastig. 'Ik verbind u door,' zegt ze dan.

Na een tijdje komt er een mevrouw uit de spreekkamer met een hond die een soort lampenkap om zijn kop heeft. Melanies vader loopt met haar mee en vraagt de volgende patiënt binnen. Dan ziet hij zijn dochter zitten.

'Ha meissie, ik ben nog wel een tijdje bezig,' zegt hij. 'Je mag bij mij in de behandelkamer kijken of misschien kun je mee als Ajax uitgelaten wordt. Zie maar.'

Melanie weet het meteen weer. Ajax was het hondje van de mevrouw die naar het verzorgingshuis moest. Echt zielig! In de keuken zitten Jet en Niels en nog twee vrijwilligers aan de thee. Straks gaat Niels met Ajax lopen en natuurlijk mag ze mee.

'De andere honden zijn al uit geweest,' vertelt Jet. 'Ajax heeft wat extra lichaamsbeweging nodig. Zijn oude baasje liep eigenlijk niet genoeg met hem.'

'Ik zou best elke dag met hem willen lopen,' stelt Melanie voor. 'En mijn vriendinnen ook wel.'

'Dat zou fijn zijn,' zegt Jet. 'Maar je moet achttien zijn, anders kan de verzekering moeilijk gaan doen.'

'Stom,' vindt Melanie. 'Ik kan heus wel een hond uitlaten. Kinderen die zelf een hond hebben, doen het ook.'

Jet vindt het jammer voor haar. 'We moeten ons nu eenmaal aan de regels houden.'

Niels zet zijn lege mok neer. 'Ik ga Ajax halen.'

Even later lopen ze samen in het park. Ajax heeft wat stramme pootjes en hij moet aan de lijn blijven.

'Hij is echt stekeblind,' zegt Niels. 'En hij is gauw moe. Daarom gaan we elke dag een stukje verder.'

Ze lopen om het meertje heen, helemaal tot de andere ingang van het park. Dan rusten ze even uit. Ajax hijgt een beetje.

Melanie aait hem over zijn kop. 'Lief is-ie, hè? Zou hij dat oude mevrouwtje niet missen?'

'Geen idee. Zij hem wel, denk ik.'

'Misschien kunnen we haar een keer op gaan zoeken met Ajax,' bedenkt Melanie.

Niels haalt zijn schouders op. 'Ik weet niet of dat zo'n goed idee is.'

'Nou, als het mijn hondje was, deed ik het.'

Ajax doet een plas tegen een boom en dan lopen ze weer terug.

In de verte komt een meisje aan op een fiets. Melanie kijkt nog eens goed.

'Nee, hè. Kunnen we dit zijpad niet nemen?'

Niels kijkt haar verbaasd aan, maar gaat wel mee het pad in. Het is een smal paadje alleen voor wandelaars. Melanie kijkt achterom en even later fietst het kind voorbij. Precies wat ze dacht: Frederieke! Als ze haar maar niet gezien heeft.

Ze had net zo goed kunnen wensen dat Ajax wel kon zien. Aan het eind van het paadje komen ze weer op een fietspad en ja hoor, wie komt daar aangefietst?

Langzaam rijdt Frederieke hen voorbij. Ze bekijkt hen uitgebreid en knikt goedkeurend. 'Jeetje Melanie, dat heb je gauw voor elkaar! En dan nog wel zo'n lekker ding!'

Melanie is meteen woedend. Ze zou dat mormel wel van haar fiets willen trekken.

Niels schiet keihard in de lach. 'Dankjewel voor het compliment!' roept hij naar Frederieke.

'Ssst,' doet Melanie. Te laat!

Frederieke stapt af en wacht tot ze bij haar zijn.

'Ik ben Frederieke. Ik zit bij Melanie in de klas. Hoe heet jij?'

'Niels. Zijn jullie vriendinnen?'

'Dacht het niet,' gromt Melanie.

Niels trekt een rimpel in zijn voorhoofd en kijkt verbaasd van de een naar de ander.

Om Frederiekes mond speelt een vals lachje. 'Nou begrijp ik wel dat je Luuk hebt laten stikken. Zou ik ook doen als ik zo'n stuk kon krijgen.'

Melanie hapt naar adem. Hoe haalt ze het in haar hoofd? Wat zal Niels wel niet denken?

Maar Niels weet precies wat hij moet zeggen. 'Dat kan jij niet, hè? Zo'n stuk als ik valt alleen op leuke meisjes!' Hij pakt Melanies hand en loopt door. 'Dá-hàg, Frederieke,' roept hij nog.

Gelukkig laat hij haar hand gauw weer los. Een stuk verderop durft Melanie pas om te kijken. Frederieke staart hen nog steeds na, maar stapt dan op de fiets en rijdt weg.

'De trut,' scheldt Melanie.

Niels kijkt haar belangstellend aan. 'Vertel?'

En dan vertelt ze hem het hele verhaal. Van het pesten en van het stalken en van haar verlanglijstje in het zwembad en hoe vreselijk Frederieke kan treiteren en dat Luuk haar hele leven al haar vriendje is. 'Alleen niet zó'n vriendje!' Ze haalt diep adem. 'En nu kunnen we niet eens meer samen naar school lopen,' komt er een beetje zielig achteraan.

'Je schaamt je er toch niet voor?'

'Waarvoor?'

'Om met Luuk naar school te gaan. Om zijn vriendinnetje te zijn?'

'Nee, natuurlijk niet,' zegt ze verontwaardigd.

'Dan gaan jullie vanaf morgen weer gewoon samen naar school,' beveelt Niels.

Melanie wijst op haar voorhoofd. 'Je snapt er ook niks van, hè?'

'Jawel,' houdt hij rustig vol. 'Natuurlijk pest ze je dan weer. Maar heeft het geholpen dat jullie ieder apart naar school gingen?'

'Ze treitert gewoon door,' moet Melanie toegeven. 'Wat moet ik dan doen?'

'Meelullen,' vindt Niels.

Melanie schiet even in de lach, maar tegelijkertijd vindt ze het een onmogelijke opdracht. 'Hoe dan?'

Niels puft even. 'Gewoon. Gelijk geven en vooral overdrijven. Als zij 'vriendje' zegt, maak jij er 'verloofde' van. En je roept dat jullie gaan samenwonen en dat Luuk nog een véél lekkerder stuk is dan ik, en zo kun je zelf ook wel wat bedenken. Toch?'

Met open mond kijkt ze hem aan. 'Dat durf ik niet,' zegt ze ademloos.

'Je hoeft het niet te dúrven, als je het maar doet. En je komt me later vertellen hoe het gegaan is.' Hij geeft haar een tikje tegen haar wang. 'Beloofd?'

Melanie schudt haar hoofd. Dat lukt nooit, denkt ze. Maar als Niels aandringt, zegt ze het toch. 'Beloofd.'

HOOFDSTUK 10

Luuk zit in de achtertuin op de stenen rand langs de vijver.

Melanie zet haar fiets in de schuur en gaat naast hem zitten. 'Dit geloof je niet,' begint ze en ze vertelt hem wat er in het park gebeurd is en wat Niels gezegd heeft. Ze windt zich er weer ontzettend over op, maar Luuk moet erg lachen als hij het woord 'verloofde' hoort.

'Dat durf jij niet,' plaagt hij.

'Maar ik doe het wel.' Ze knikt vastberaden met haar hoofd en haar krullen knikken mee. 'Haal je me morgen weer op?'

'Wat jij wilt,' zegt Luuk. 'Gaan we Fredje lekker uitdagen. Cool.' Hij zit er al helemaal van te genieten. 'Zal ik je dan maar een ring geven voor je verjaardag?'

'Een ring?' Melanie kan zijn gedachtesprong even niet volgen.

'Een ring, ja. Als je verloofd bent, heb je toch een ring?'

Ze kukelt bijna achterover in de vijver van het lachen.

'Zonder gekheid, wat wil je voor je verjaardag hebben?' grinnikt Luuk.

'Geld voor de sponsorloop toch, dat weet je best.'

'Dat ook, maar nog iets,' houdt hij vol. 'Wat heb je aan je ouders gevraagd? Behalve die hond die je toch niet krijgt.'

Melanie staart een beetje triest voor zich uit. Ze hoeft niks, ze heeft alles wat ze leuk vindt.

Het enige wat ze niet heeft... De puppy's van Sasja zijn al besproken, maar een asielhond zou ook geweldig zijn. Ajax bijvoorbeeld. Arme Ajax, die zo weinig kans heeft op een nieuw baasje. Ze kán gewoon niks anders bedenken. Nieuwe sportschoenen, heeft ze tegen haar moeder gezegd. En Luuk moet zelf maar iets leuks verzinnen. Dat kan hij best. Vorig jaar had ze een rode knuffelhond van hem gekregen. Al zo lang ze zich kan herinneren, krijgt ze een knuffelhond van hem voor haar verjaardag. En ze is er altijd hartstikke blij mee. Als hij nu maar niet echt een ring...

En opeens weet ze het. Ze springt op. 'Luuk! Ik weet het, ik weet het. Ajax, ik wil Ajax!'

Luuk snapt er niks van.

'Moet je luisteren,' begint Melanie en ze gaat weer naast hem zitten. 'Ik vraag aan mijn ouders of ze Ajax kopen en ik vraag aan jou of hij bij jou mag wonen!'

Het onbegrip op Luuks gezicht verandert in verbijstering.

Ze legt het nog een keer uit. 'Als mijn ouders hem kopen en zijn eten betalen, dan is het mijn hond, maar hij woont bij jou. Dan heeft mijn moeder er geen last van.'

'Nah, dan heb je er toch niks aan?' Hij vindt het een afschuwelijk plan.

'Tuurlijk wel! Ik zit net zo vaak bij jou als bij mij thuis. Kunnen we hem samen uitlaten en met hem spelen. En dan gaan we bij zijn oude vrouwtje op bezoek. Kan ze hem nog eens zien.'

Opeens ziet ze Luuks strakke gezicht. Hij roffelt zachtjes met zijn vuisten op de stenen.

'Nou ja, als je het vervelend vindt, doe ik het uitlaten wel alleen,' zegt ze om hem op te vrolijken.

Het helpt niet echt. Hij mompelt wat en staat op. 'Dat wil mijn moeder vast niet.'

'Zal ik het aan haar vragen?'

'Nee,' zegt Luuk vreemd hard. 'Xieje.' Met grote, stijve passen loopt hij om de vijver heen naar huis.

'Morgen. Je haalt me op, hè? Niet vergeten!' roept Melanie hem na.

Binnen vertelt ze het Ajax-plan meteen aan haar ouders. Zij reageren al net zo lauw als Luuk.

Bart vindt het idee wel lollig. 'Een leasehond,' grinnikt hij.

Melanie werpt hem een donkere blik toe. 'Ik meen het serieus, hoor.' Dan kijkt ze weer naar haar vader en moeder. 'Vinden jullie het te duur?'

Dat is het probleem niet, zeggen ze.

'Weet Luuks moeder het al?' vraagt haar moeder.

'Hij zou het erover hebben,' zegt Melanie. 'Maar van haar mag altijd alles.'

'Wat vindt Luuk zelf?' wil haar vader weten. 'Jij zei laatst nog dat hij niets heeft met honden.'

Melanie vindt het geen punt. 'Dat komt vanzelf goed als hij Ajax eenmaal heeft gezien.'

'Ajax,' doet Bart verbaasd. 'Wie noemt z'n hond nou Ajax. Je noemt hem toch ook geen PSV?' Hij moet zo ontzettend lachen dat hij er de hik van krijgt. 'Of - hik! - Jong Oranje, hik!'

'Hou toch op,' moppert Melanie tegen haar broer. Ze

bestudeert de gezichten van haar ouders. Bedachtzaam en bezorgd kijken ze.

'Hè verdorie, jullie zien ook altijd overal problemen. Nou heb ik eens wat leuks bedacht... Verder hoef ik niks. Met mijn sportschoenen kan ik best nog een tijdje doen. En een iPod, wat moet ik nou met een iPod? Als ik Ajax krijg, dan kan ik ermee naar zijn oude vrouwtje en in het dierentehuis hebben ze weer ruimte om een andere hond op te vangen en dan is iedereen blij en het is... het is gewoon een wéreldplan!'

Haar vader glimlacht. 'Dat is het ook. En als het alleen om ons zou gaan en als mama niet allergisch was, dan ging het meteen door. Maar nu gaat het ook om Luuk en zijn moeder. We moeten er nog maar eens goed over nadenken.'

'Gezellig!' Melanie geniet als ze de volgende ochtend samen met Luuk naar school loopt. Ze geeft hem een stootje met haar elleboog. 'Vind je ook niet?'

'Best wel,' doet hij stoer. 'Als we nou Frederieke maar tegenkomen!'

Melanie moet er nog even niet aan denken, maar ze heeft zich voorgenomen om zich niet op te laten jutten. 'Heb jij het er al met je moeder over gehad?'

'Over Frederieke?'

'Nee, over Ajax natuurlijk.' Ze klinkt verontwaardigd over zo veel onbegrip.

'O, dat.' Luuk zwijgt.

'Nou?' dringt Melanie aan. Als hij blijft zwijgen, meent ze het te begrijpen. 'Ooo, het moet zeker een verrassing blijven?' Ze springt over de stoep van plezier. 'Gááf, hé! Yes yes yes, we krijgen een hond!'

'Nah, ho nou maar, ik, eh... ik heb het er niet over gehad,' bromt Luuk.

Melanies benen zijn opeens geen springveren meer. Met slaphangende armen staat ze voor hem. 'Aaah, hèèè! Waarom niet?'

Luuk schokt onwillig met zijn schouders. 'Nah, daarom niet.'

Melanie probeert haar teleurstelling te verbijten. 'Oké, dan doe je het gewoon vanmiddag,' stelt ze voor.

Luuk schopt, pats, een steentje tegen een lantaarnpaal.

'In één keer raak,' juicht Melanie. 'Dat brengt geluk. Vindt ze het vast goed.'

Ze lopen verder, Melanie huppelend, Luuk sjokkend. Dan komen ze bij de kruising met Frederiekes straat. En ja hoor, daar komen ze al aan: Frederieke en haar schaduw Veerle.

'Hééé Melanie, ben je al jarig geweest?' Het klinkt vriendelijk verbaasd.

Melanie is even van haar stuk gebracht. Ze had een opmerking over Luuk verwacht of over dat ze weer samen naar school gaan. Luuk lijkt zich ook geen raad te weten met deze rare vraag.

Frederieke kijkt hen afwachtend aan, maar als ze allebei zwijgen, gaat ze door. 'Nee, ik vraag maar, want, eh... hij stond toch op je verlanglijstje en zo te zien heb je hem gekregen.'

Jémig, denkt Melanie. Hoe verzint ze het? Ze probeert een antwoord te bedenken, maar Luuk is net iets sneller.

'Ze had me allang, hoor.'

'Precies,' knikt Melanie. 'Nooit kwijt geweest.'

De ogen van Frederieke worden star van verbazing. Verward kijkt ze naar Veerle.

Ha, denkt Melanie, het werkt.

Maar zo gauw is Frederieke niet verslagen. Ze tovert een glimlach op haar gezicht. 'Fijn voor je!' slijmt ze. 'Maar laatst in het zwembad zei je toch zelf dat hij je vriendje niet is?'

Oei. Dat is wel een sterke opmerking. Melanie vangt de blik van Luuk op. Dit is je kans, lijkt hij te zeggen. In gedachten hoort ze de stem van Niels en opeens doet ze een stap naar Frederieke toe. Ze buigt haar hoofd en laat haar stem wat dalen, alsof ze een heel vertrouwelijke mededeling gaat doen. 'Jij mag het wel weten, hoor. Luuk ís ook niet mijn vriendje, hij is mijn verlóófde.'

Ze blijft heel even staan om te genieten van het verblufte gezicht van Frederieke. Dan loopt ze met Luuk naar het schoolplein. Net als Niels draait ze zich nog een keer om en zwaait vriendelijk met haar vingers. 'Dá-hàg, Frederieke.'

De hele morgen houdt Melanie een plezierig gevoel. Ze is rustig gebleven én ze heeft Frederieke afgebluft. Tussen de middag lopen Luuk en zij samen naar huis. Vandaag eten ze bij haar, omdat Luuks moeder op donderdag in de boetiek werkt. Frederieke laat zich niet zien, ook niet als ze weer naar school gaan. Maar om half vier duikt ze toch op. Ze komt naast Luuk lopen alsof er niks gebeurd is. Veerle blijft achter hen hangen.

'Dus het is weer aan,' begint Frederieke.

'Nooit uit geweest,' zegt Luuk.

'Weet je dat wel zeker?'

'Ja hoor.' Luuk en Melanie steken het kruispunt over. Frederieke moet hier rechtsaf, maar loopt met hen mee.

'Weet je dan niet van Niels? Die jongen van het dierentehuis?'

'Niels, die dierenarts wil worden? Ja, aardige gozer!' Het lijkt wel of Luuk er plezier in heeft.

Melanie laat hem het woord doen, want ze zou niet weten wat ze moet zeggen.

'Die aardige gozer loopt anders wel met haar in het park te wandelen. Hánd ín hánd,' zegt Frederieke met extra veel nadruk. 'Dus je mag wel oppassen.'

Luuk kijkt naar Melanie en geeft haar een dikke knipoog. 'Je mag zelf wel oppassen,' zegt hij tegen Frederieke.

'Huh?' Ze blijft met een dommige blik in haar ogen staan.

'Leuke jongens houden niet van losers.' Hij rekt het laatste woord helemaal uit: 'Loeoeoezers!'

Aan haar gezicht zien ze dat het hard aankomt.

En dan doet Luuk hetzelfde als Melanie vanmorgen. Hij zwaait met zijn vingers en terwijl ze weglopen, zegt hij: 'Dáhàg, Frederieke.'

'Als ze nou nog niet ophoudt, is ze nog gekker dan ik dacht,' zegt Luuk, als ze buiten gehoorsafstand zijn.

Melanie haalt haar schouders op. ''k Weet het niet. Maar het kan me niks meer schelen. Eigenlijk is ze een beetje zielig.'

'Gestoord,' vindt Luuk.

'Dat ook. En zielig.'

Na het avondeten gaat Luuk naar zijn eigen huis. Het is

koopavond in de boetiek. Als zijn moeder thuiskomt, zal hij het met haar over Ajax hebben.

Hoopt Melanie.

De volgende ochtend vraagt ze er meteen naar.

Luuk schudt zijn hoofd. 'Ze was hartstikke moe en je weet hoe ze dan is.'

Melanie weet het. 'Je moet wachten tot ze in een goede bui is.' Maar zelf kán ze bijna niet meer wachten. Het is zo'n fantastisch plan, dat het gewoon wel door móét gaan.

En als Luuk 's middags op het trapveldje blijft, besluit ze naar zijn moeder te gaan. Ze is in de keuken beslag aan het maken en Melanie springt op het aanrecht.

'Wat wordt het?' Melanie steekt haar vinger in de beslagkom en likt hem af. 'Mmm!'

'Chocoladecake met amandelen,' zegt Luuks moeder.

'Lek-kurrr!' kreunt Melanie en ze steelt nog een lik.

Meteen krijgt ze een tikje met de pollepel op haar hand. 'Straks mag je de kom schoonlikken.' Luuks moeder roert de amandelen door het beslag, schept het in de vorm en schuift hem in de oven. Dan geeft ze de kom aan Melanie. Zelf likt ze de pollepel af.

'Eigenlijk idioot om er een cake van te bakken,' vindt Melanie. 'Je kunt net zo makkelijk het beslag opeten, dat is nog veel lekkerder.'

Luuks moeder lacht lief. Ze heeft kleine rimpeltjes bij haar ogen en net zulke mooie tanden als Luuk.

Er gaat natuurlijk niks boven je eigen moeder, maar zij is een goede tweede, denkt Melanie. Dit is hét moment om over haar plan te beginnen. 'Ben jij allergisch voor honden?'

'Nee. Hoezo?'

'Nou, omdat jullie geen hond hebben.' Ze wrijft haar vinger stevig over de bodem van de kom om ook het allerlaatste restje beslag eruit te halen.

Luuks moeder zet de bakspullen in de vaatwasser. Ze vult de waterkoker. 'Thee?'

Melanie schudt haar hoofd. 'Zou jij het niet leuk vinden om een hond te hebben?'

'Ik wel, maar...'

'Yes!' schreeuwt Melanie. 'Ik wist het wel, ik wist het wel!'

Meteen vertelt ze het hele Ajax-plan. Een waterval van woorden stort ze uit over Luuks moeder, die haar in de rede probeert te vallen.

'Maar Melanie, luister nou even...'

Het heeft geen zin. Melanie springt door de keuken en geeft Luuks moeder een dikke knuffel. 'Als Luuk thuiskomt, vraag je dan of hij naar mij komt? Doewieieie!'

Ze staat al half buiten als Luuks moeder eindelijk iets kan zeggen. 'Heb je al gevraagd wat Luuk ervan vindt?'

Melanie straalt. 'Hij was bang dat jij het niet zou willen.'

'Maar wat vindt Luuk zélf?'

'Nou, eh... leuk.' Ze twijfelt even. 'Toch?'

Luuks moeder kijkt haar ernstig aan. 'Vraag het hem.'

Melanie zwaait de keukendeur een paar keer besluiteloos heen en weer en laat hem dan met een klap achter zich dichtvallen.

's Avonds komt Luuk inderdaad naar haar toe. Hij zegt niks en van zijn gezicht wordt Melanie niet veel wijzer. Ze hangt balend op haar bed en streelt automatisch de knalrode, langharige hond, die hij haar vorig jaar gegeven heeft.

Luuk gaat achter haar computer zitten en zoekt een spelletje op. Hij blijft zwijgen en Melanie weet niet goed hoe ze moet beginnen.

'Ben je nog lang op het trapveldje gebleven?' vraagt ze na een tijdje.

Hij bromt wat. Zijn blik is onafgebroken op het scherm gericht.

Melanie denkt na over een andere vraag. 'Ben je bij Alex geweest?'

'Hmmmm.'

Het is geen ja en geen nee. Hij heeft haar waarschijnlijk niet eens gehoord. Ze weet best wat ze moet vragen, maar ze durft niet. Nadat ze bij zijn moeder is weggegaan, heeft ze nog maar aan één ding gedacht.

'Wat heb je nog meer gedaan?' Het is net zo'n laffe vraag als de vorige, maar nu reageert hij opeens wel.

'Cadeautje voor je gekocht.' Ondertussen speelt hij stug door.

'Een cadeautje?' Ze gaat rechtop zitten. 'Maar we hadden toch afgesproken...'

'We hadden niks afgesproken,' valt Luuk uit. Eindelijk laat hij het spel voor wat het is. 'En we hadden ook niet afgesproken dat jij het aan mijn moeder zou vragen.'

'Nee, maar... ze vindt het wel een gaaf plan.'

'Zei ze dat?' Hij komt voor haar staan. 'Zei ze dat echt?'

Melanie knikt. 'En dat ik het nog een keer aan jou moest vragen,' zegt ze zacht. Het gevoel dat ze nu al een paar dagen zorgvuldig diep van binnen heeft weggestopt, komt opeens in alle hevigheid naar boven. Ze weet best dat Luuk niks met honden heeft en dat ze het misschien niet helemaal eerlijk heeft aangepakt, maar ze wil het zó graag. Nog één keer probeert ze hem over te halen. 'Ah Luuk, als je Ajax eenmaal leert kennen...'

'Ik wíl hem niet leren kennen. Hem niet en een andere hond ook niet! Ik wil het niet!'

'Maar ik zal helemaal zelf voor hem zorgen. Jij hoeft niks te doen; het geeft niet dat je niet van honden houdt!'

Luuk balt zijn vuisten, zijn ogen worden zwart en hij buigt een beetje voorover. 'Dat ik niet van honden hou?' Zijn stem klinkt schril, bijna in paniek. 'Niet van hou?' Hij trekt zijn shirt omlaag over zijn schouder en laat zijn litteken zien. 'Ik ben er báng voor, hartstikke bang!' Meteen stormt hij haar kamer uit.

Melanie hoort hem de trap af stampen, beneden slaat een deur en dan is het stil. Het is alsof de wereld stopt met draaien en ademhalen opnieuw uitgevonden moet worden. Schokkerig ademt ze in en uit en dan stromen de tranen over haar wangen. Ze laat zich op bed vallen, grijpt de rode hond en drukt haar gezicht in zijn vacht.

Hoofdstuk 11

Eeuwen later draait ze zich om en staart naar het plafond. Ze houdt de hond met gestrekte armen omhoog en laat hem op haar buik ploffen. Gedachteloos frummelt ze aan zijn oor. Als haar hand verder glijdt over zijn vacht, voelt ze dat hij nat is.

'Ah gossie, heb ik je helemaal nat gejankt, hè?' fluistert ze troostend. 'Hoe vind je dat nou? Die gekke Luuk ook. Wie is er nou zó bang voor honden?'

Voor haar ogen verschijnt het beeld van Luuk die zijn litteken laat zien. Ze wist allang dat hij dat had. Eerst vond ze het altijd gewoon, net zoiets als een navel. Een tijdje geleden had ze er eens naar gevraagd. Op het strand. Wat had hij toen ook alweer gezegd?

En dan opeens snapt ze het. Alsof het met lichtgevende letters op het plafond geschreven staat. Ze schiet overeind. De rode hond valt op de grond en Melanie graait hem naar zich toe.

'Het was geen hek met spijkers. Hij is gebeten!' legt ze hem uit. 'Luuk is bang voor honden omdat hij gebeten is!'

Nu begrijpt ze ook waarom hij altijd met een boog om honden heen loopt. En waarom hij niet mee wil om een nest puppy's te bekijken. Alhoewel... Dat laatste snapt ze niet echt. Een volwassen herder of een bouvier of zo, dat wel, maar puppy's... En zo'n oud hondje als Ajax... Ze haalt haar schouders

op. Nee, dat hele Ajax-plan kan ze vergeten.
En dan moet ze weer even huilen.

Zaterdag, de dag van de sponsorloop, de dag van haar feestje, de dag voor haar verjaardag.

Melanie heeft onrustig geslapen. Steeds hoorde ze de stem van Luuk: 'Ik ben er bang voor, hartstikke bang,' en dan voelde ze zijn angst. Het is al na negenen als ze beneden komt.

'Ik wilde je net wakker komen maken,' zegt haar moeder in de keuken. 'Thee?' Ze schenkt een glas vol. 'Schiet je op? We gaan zo naar het winkelcentrum.'

Een uurtje later lopen ze samen een schoenenwinkel binnen. Op de sportafdeling staan rijen en rijen loopschoenen. Melanie vindt dat altijd een prachtig gezicht en ze pakt de ene na de andere schoen uit het rek om van dichtbij te bekijken.

'Welke maat had je de vorige keer?' vraagt haar moeder.

'37.' De maat van haar spijkerbroek kan ze nooit onthouden, maar van haar schoenen weet ze het precies.

'Probeer dan nu maar een half maatje groter.'

Een verkoper komt om hen te helpen en uiteindelijk kiest Melanie een paar witte met een rode streep op de zijkant.

Als ze buiten staan, stelt haar moeder voor om een Italiaans ijsje te gaan halen.

'Mag ik zo'n grote?' bedelt Melanie. 'Met vruchtjes en slagroom, in een glas?'

Het is prachtig weer en ze gaan op het terrasje zitten. Terwijl ze wachten tot het ijs gebracht wordt, kijkt Melanie in de schoenendoos. Ze strijkt met een vinger over de rode streep.

Haar moeder pakt een schoen en bekijkt hem van alle kanten. 'Mooi, hè?'

'Ja hoor.' Melanie probeert blij te klinken.

'Maar het is geen hondje, hè?' begrijpt haar moeder.

Melanie zucht. 'Wist jij dat Luuk bang is voor honden?'

Haar moeder knikt.

'Waarom heb je me dat dan niet verteld?'

'Luuks geheim?! Ik vertel jouw geheimen toch ook niet tegen hem!'

'Mijn geheimen!' roept Melanie verontwaardigd. 'Ik heb geen geheimen! Welke dan?'

'Nou-ou,' begint haar moeder bedachtzaam. 'Weet je nog toen we jouw eerste behaatje gingen kopen? Hoe erg jij dat vond?'

'Oké, hou maar op.' Ze wordt weer een beetje verlegen van de herinnering. 'Je hebt het toch nooit verder verteld?'

'Wat denk je nou,' zegt haar moeder half verontwaardigd, half lachend.

De serveerster komt het ijs brengen en Melanie denkt helemaal nergens meer aan. Als het enorme glas voor haar op het tafeltje staat, draait ze het verlekkerd rond.

'Aardbeienijs, chocolade-ijs, hazelnootijs, rode saus, vruchtjes en een enorme toeter slagroom met een wafeltje erbovenop. 'Daar kun je me midden in de nacht voor wakker maken.'

'Mij ook,' zegt haar moeder. 'Ik vind het niet leuk, maar je kúnt me...'

Ze lachen samen en dan zeggen ze een hele tijd niets meer.

Klokslag één uur rijdt de moeder van Tinka voor. Sasja en

Tinka helpen haar de kostuums naar binnen te dragen.

'Het is wel warm om met die pakken aan te lopen,' denkt Tinka's moeder.

'Maakt niet uit,' roept Melanie. 'Dat hebben we er wel voor over!'

Julia, Sanne en Tess komen binnen, algauw gevolgd door Nikita en Bibi. De kamer staat vol met meiden die zich omkleden. Onder het pak dragen ze een sportpakje of een korte broek met een shirtje.

De deur gaat open en Luuk steekt zijn hoofd om de hoek.

De meiden gillen. 'Weg, ga weg!'

'Jongens in de keuken!' commandeert Melanie.

Luuk grijnst en verdwijnt braaf.

De moeder van Melanie helpt Tinka's moeder met het schminken en dan vertrekken ze richting Groenhove. De meiden giechelend, maar ook trots op hun outfit, de jongens erachteraan.

'Hadden jullie ook niet graag zo'n pak gewild?' vraagt Bart aan de jongens.

'Jij dan?' vraagt Alex.

Luuk trekt een gezicht. 'Je bent toch wel goed bij je hoofd?'

'Meidengedoe,' vindt Hessel.

Alleen Mees kijkt alsof hij het toch wel leuk gevonden had. Maar als hij de gezichten van de andere jongens ziet, zegt hij gauw dat het veel te heet is. 'Ik wil minstens vier rondjes lopen.'

Bij het dierentehuis zijn al flink wat mensen aanwezig. Alle vrijwilligers hebben hun familie en vrienden meegenomen en er zijn ook mensen van de Dierenbescherming. Melanie ontdekt juf Maaike in de drukte en ze gaat zich even laten bewonderen. De juf vindt dat ze er allemaal fantastisch uitzien en ze wenst hun veel succes.

'Loopt u ook mee?' vraagt Julia.

De juf knikt.

'Ook veel succes dan,' zegt Melanie.

Jet komt naar buiten met een megafoon en vertelt wat er precies gaat gebeuren. 'Om twee uur wandelen we een rustig rondje met de honden voorop. Daarna mogen jullie tot drie uur proberen zo veel mogelijk extra rondjes te lopen. En niet vergeten te stempelen, hè!'

Een paar vrijwilligers delen de stempelkaarten uit. Er staat al een stempel op voor het eerste rondje.

'Hoezo stempelen?' wil Sasja weten.

'Om aan je sponsors te bewijzen hoeveel ze moeten betalen,' legt Melanie uit. 'Ik heb er zeven.' Ze telt ze op haar vingers na. 'Mijn opa geeft wel vijf euro per rondje! Mijn vader en moeder en Luuks moeder allemaal twee euro en Bart, een vriendin van mijn moeder en tante Marjan ieder één euro.'

'Jeetje, dat is veertien euro per rondje,' rekent Tinka even gauw. 'Ik heb er maar drie, allemaal voor één euro.'

'Ja maar, bij mij is het voor mijn verjaardag, weet je nog? En dan al het geld van jullie er nog bij. Het dierentehuis wordt stinkend rijk.'

De vrijwilligers komen naar buiten met de honden. Twaalf telt Melanie er. Niet alle honden zijn gezond genoeg om mee te doen. Niels heeft Ajax aan de lijn. Zodra hij haar in de gaten krijgt, roept hij Jet.

'Kijk Jet, een loslopende dalmatiër! Heb je nog een extra riem?'

Ondanks de drukte heeft Jet toch tijd om de pakken te bekijken. 'Schitterend, Melanie. Weet je wat, de echte honden gaan voorop en meteen daarna komen de bijna echte.'

En dan vertrekken ze. De route gaat door het park, een klein stukje eromheen, door het hek aan de andere kant het park weer in en om het meertje heen terug naar het dierentehuis.

Niels komt met Ajax naast Melanie lopen. Hij wijst naar de andere kinderen. 'Zijn die allemaal op jouw feest?'

'En nog vier jongens,' zegt Melanie. 'Maar die wilden niet verkleed.' Ze kijkt zoekend achterom. Luuk en de andere drie lopen helemaal achteraan. Ver bij de honden vandaan.

'Waarom loopt Luuk niet hier bij jou?' vraagt Niels.

Melanie probeert snel een smoesje te bedenken. Ze wil Luuks geheim niet verraden, maar ze weet zo gauw niets anders. 'Luuk is bang voor honden,' fluistert ze. Ze denkt dat Niels het wel zal begrijpen. Toen met Frederieke heeft hij haar ook goed geholpen.

'Wat een watje!' zegt hij.

Hè? Melanie schudt heftig haar hoofd. De flaporen op haar pak zwieberen langs haar gezicht. Ze vindt het vreselijk dat Luuk zo bang is, maar Niels hoeft hem geen watje te noemen. 'Meen je dat nou?' vraagt ze voor de zekerheid.

'Nou ja, je kunt het moeilijk dapper noemen, toch? Ik zou me doodschamen en het zeker niet tegen mijn vriendin vertellen.'

Hijméént het!

'Dát is pas laf,' roept ze. 'Het is heus niet stoer om van honden te houden. Tegen je vriendin vertellen dat je ergens bang voor bent, is veel stoerder.' Als ze het gezegd heeft, is ze zelf even verbaasd. Het dringt nu pas tot haar door hoe moeilijk het voor Luuk moet zijn geweest.

Ook Niels denkt er blijkbaar over na. Hij lijkt er een beetje verlegen mee. 'Tja, wat moet ik daarop zeggen,' zegt hij na een tijdje. 'Dan is hij dapperder dan ik.'

'Als je dat maar weet,' knikt Melanie. En ze voelt haar wangen gloeien.

Ze zijn inmiddels halverwege en gaan het park weer in. Daar is de eerste stempelpost.

Melanies vader zit er achter een tafeltje, samen met twee andere mannen. Hij steekt zijn hand op naar Melanie. 'U hoeft straks pas te stempelen,' roept hij een paar keer.

De stoet trekt verder door het park, langs de vissteiger en het kanaal, tot ze weer bij Groenhove zijn. De honden worden binnengebracht en de lopers verzamelen zich bij de ingang.

'En nu begint het echt,' roept Jet door de megafoon. Ze lost een startschot met een klappertjespistool en de hele kudde zet zich in beweging.

Melanie vindt het niks, midden in het gedrang. Ze probeert zich zo gauw mogelijk naar voren te werken, zodat ze haar eigen tempo kan rennen. De andere meiden blijven een eind achter, maar dat had ze wel gedacht. Zij kan het hardst rennen van de klas, op een paar jongens na.

Algauw komt ze bij de stempelpost. De kaart hangt aan een

touwtje om haar nek en haar vader zet er een stempel op.

'Niet te hard in het begin,' waarschuwt hij.

Ze wacht niet tot hij uitgesproken is.

'Anders hou je het niet vol,' hoort ze hem nog roepen.

Makkelijk, denkt ze. Alleen begint ze vreselijk te zweten in dat pak. Ze doet de rits een eindje open. Het helpt een beetje, maar als ze bij Groenhove is, rent ze naar binnen om het uit te trekken. Haastig legt ze het op de balie. Buiten laat ze haar kaart stempelen bij Jet en ze begint aan de tweede ronde.

'Ga je lekker?' hoort ze achter zich. Luuk komt naast haar rennen. Op zijn gezicht is nog geen druppeltje zweet te zien.

'Best wel.'

'Waar is je pak?'

'Uit. Te heet.'

Ze rennen over het schelpenpad het park uit. Op het trottoir buiten het park staan hun moeders te juichen.

'Goed zo Melanie, hup Luuk!'

'Ze hadden beter mee kunnen doen,' zegt Melanie.

'Te oud,' grijnst Luuk.

Bij de vissteiger staat de visser met het rode petje de langstrekkende stoet te bekijken. 'Duurt dit nog lang?' roept hij.

'Tot drie uur,' schreeuwt Melanie terug. Dan zijn ze hem voorbij.

Bij het dierentehuis staat naast de stempelpost een tafel met flesjes water. Ze grissen er allebei een mee. In strak tempo rennen ze door het park naar de uitgang, zwaaien naar de moeders, het park weer in, stempelen, langs de visser die in de schaduw van een boom is gaan zitten, Nikita en Bibi voorbij, die nog steeds hun pak aanhebben, langs het kanaal, stempeltje van Jet, en dan worden ze zelf ingehaald. Juf Maaike flitst langs hen heen alsof ze stilstaan. Ze lacht even opzij naar hen, maar zegt niks.

'Tjee,' hijgt Luuk.

Melanie probeert of ze haar kan bijhouden, maar voelt algauw dat ze dat beter niet kan doen. Ze laat zich terugzakken tot Luuk weer bij haar is.

'Hoelang nog?' vraagt ze aan haar vader als ze haar kaart voor de vierde keer laat afstempelen.

'Een kwartier. Een vijfde ronde...'

Ze zijn al weg.

'...wordt moeilijk!' schreeuwt hij hen achterna.

'Dat zullen... we nog wel eens... zien,' vindt Melanie.

Hun voetstappen knerpen door het grind, de zweetdruppels spatten in het rond en Melanie gooit wat water over haar hoofd. De visser schenkt zichzelf een bekertje koffie in uit een thermosfles. Kóffie, denkt Melanie, met die hitte!

Het wordt nu wel heel zwaar. Bij Groenhove zijn al heel wat lopers die ermee ophouden, Niels hangt puffend tegen de schutting, maar Melanie wil niet stoppen.

'Nog tien minuten,' zegt Jet. 'Krap!'

Luuk trekt Melanie mee. Haar shirt plakt tegen haar lijf, haar voeten in haar oude sportschoenen gloeien, maar ze gaat door. 'Veertien euro per rondje,' hoort ze Tinka in haar hoofd zeggen. Dat is meer dan vijf weken zakgeld. En dan denkt ze nergens meer aan, tot ze voor de laatste keer bij de stempelpost komt.

Ze hoeft haar kaart niet eens neer te leggen, haar vader ramt de stempel in het wilde weg ergens op en rent een klein stukje met haar mee. 'Je kan het, je kán het,' roept hij.

'Go, go, gó!' schreeuwt de visser.

Haar oren bonzen, Luuk loopt vlak voor haar, ze ziet alleen nog zijn bewegende rug, haar hoofd barst bijna uit elkaar en dan zijn ze er. Er klinkt applaus en gejuich, en Melanie laat zich in het gras vallen. Meteen is Luuk bij haar. Hij pakt haar stempelkaart en gaat ermee naar Jet.

Dan tilt iemand haar op. 'Rustig uitlopen,' zegt een stem.

Ze gehoorzaamt en sjokt wat heen en weer. Kapot is ze. Algauw herkent ze de gezichten van Julia en Tinka en de rest van haar vriendinnen.

'Wat goed van je. Echt gaaf. Dat je dat kán!'

Luuk geeft haar een nieuw flesje water.

Juf Maaike komt naar haar toe. 'Zes rondjes. En jij?'

'Vijf.'

'Fantastisch,' prijst de juf. 'En ik hoefde niet eens dat hondenpak uit te trekken.'

Melanie voelt zich zo trots dat ze haar moeheid vergeet. Haar vader komt eraan met een kar waarop de stempeltafel en de klapstoeltjes liggen. Jet vraagt of iedereen het sponsorgeld volgende week wil inleveren en dan is het afgelopen.

'Gaan de feestvierders mee?' vraagt Melanies vader. 'Of zijn jullie te moe voor de taart?'

HOOFDSTUK 12

En dan is het feest voorbij. Ze hebben uitgerekend hoeveel geld ze bij elkaar gelopen hebben voor het dierentehuis: meer dan vierhonderd euro. Een fantastisch bedrag.

'En dan het geld van al die andere lopers nog!' bedenkt Melanie.

Ze hebben limonade gedronken – alleen Luuk wilde melk – en slagroomtaart gegeten. Daarna deden ze Melanies favoriete spel: krantenmeppertje. Sasja, Tinka en Hessel kenden het niet en Melanie had het snel uitgelegd. 'Een kind staat midden in de kring met een opgerolde krant. Dan noemt iemand een naam en diegene moet een andere naam noemen. Als je dat niet snel genoeg doet, krijg je een mep met de krant op je knieën. Dan ben je af en wie af is, wordt de nieuwe mepper.'

'Net lummelen,' vond Hessel. Maar dat kenden de anderen weer niet.

Aan het eind van het feest kregen ze patat en frikandellen en appelmoes. En ijs toe.

Om half acht komt de moeder van Tinka om de pakken op te halen. Sasja, Tinka en Hessel rijden met haar mee naar huis. Luuk en Melanie brengen samen alle andere kinderen naar huis. Alex heeft zijn fiets bij zich, omdat hij als enige aan de andere kant van het kanaal woont, maar hij vindt het leuker om eerst met de hele groep mee te lopen. Kriskras doorkruisen ze de stad tot alleen Julia en Alex nog over zijn.

'Als we door het park gaan, kunnen we Alex tot de brug brengen en dan langs Julia,' stelt Luuk voor.

'Zo komen we langs Groenhove,' zegt Melanie. 'Het zal er nu wel weer rustig zijn.'

In het hele park is het indrukwekkend stil. De bankjes zijn leeg. Op de grasvelden ligt niemand meer te zonnen of te lezen. Er zijn geen opa's en oma's meer die met hun kleinkinderen de eendjes voeren. De vissteiger ligt er verlaten bij en de bomen laten hun blaadjes stil hangen. Zelfs de vier kinderen houden hun mond.

Het is zo stil dat ze schrikken als in de verte een hond blaft. En nog een. Dichterbij nu.

'De wereld leeft nog,' constateert Alex.

Weer geblaf.

'Het komt bij Groenhove vandaan,' zegt Melanie een beetje verbaasd. Ze begint te rennen, de anderen volgen. Als ze om de bocht van het pad zijn, zien ze het dierentehuis liggen. Op het fietspad ervoor lopen vier honden los. Verder is er niemand te zien. Tegen de schutting staat een mountainbike.

Luuk blijft staan, de andere drie lopen aarzelend door en kijken rond of er ergens iets te ontdekken valt dat dit raadsel kan oplossen. Ze snappen er niks van, totdat er opeens nog meer honden tevoorschijn komen.

'De deur is open. Wat stom! De hokken zijn niet goed dichtgedaan!' roept Melanie. 'We moeten ze vangen.'

Ze probeert een zwarte labrador te grijpen, maar het dier springt opzij. Alex gooit zijn fiets neer en ook Julia helpt mee.

Luuk staat nog steeds op dezelfde plek en verzet geen stap. Melanie ziet dat hij ergens naar wijst. Ze volgt zijn blik en slaat haar handen voor haar mond.

In de deuropening van het dierentehuis verschijnt een gestalte. Een man in een zwartleren jack en met een mutsje op komt naar buiten en duwt Ajax en een andere hond voor zich uit.

Melanie wil eropaf, maar haar benen zijn slap van de schrik. Ze wil schreeuwen, maar uit haar keel komt alleen een schor geluid.

Opeens ziet de man haar ook. Hij duwt Ajax opzij en rent naar de mountainbike.

'Alex!' schreeuwt Luuk. 'Pak je fiets!'

Alex hoeft maar even te kijken om de situatie te begrijpen. Hij springt op zijn fiets en zet de achtervolging in. De man racet over het pad naar de uitgang van het park met Alex voorovergebogen over zijn stuur erachteraan.

Nu vindt ook Melanie haar stem terug. 'Julia! Ga mijn vader halen!' Terwijl Julia wegrent met een enthousiaste hond achter zich aan, probeert Melanie met brede armgebaren de honden terug te drijven naar het dierentehuis. Een onmogelijke opgave. De honden rennen alle kanten op, snuffelen langs de struiken, springen vrolijk blaffend tegen elkaar op en hebben de tijd van hun leven.

Luuk raakt ondertussen behoorlijk in paniek. Hij kan niet naar links, niet naar rechts, want overal zijn honden en achter hem is het kanaal.

'Help dan!' schreeuwt Melanie. 'Ze doen echt niks. Help me nou!'

Tien, twaalf losgelaten honden tegen één wanhopig meisje, het is een ongelijke strijd. Minstens vijf honden zijn het park al verder in gerend en een paar andere zijn op weg naar de uitgang waardoor Alex zojuist verdwenen is.

En dan opeens ziet Melanie Ajax.

Haar hart staat stil.

Het blinde hondje dribbelt over het pad regelrecht in de richting van het kanaal. Hij snuffelt aan het hek en tilt zijn achterpoot op.

'Ajax!' roept Melanie. 'Kom hier.'

Hij luistert niet.

Waarom zou hij ook? Zij is zijn baasje niet. Melanie beseft dat ze, als ze hem wil pakken, niet naar hem toe moet rennen. Opjagen is helemaal fout. Daarom loopt ze zo kalm mogelijk naar hem toe.

Het hondje drentelt verder langs het hek. Hij ziet natuurlijk niet waar hij loopt en de onderste plank van het hek is net hoog genoeg voor hem om eronderdoor te kunnen. Nog geen halve meter is hij verwijderd van de rand van het kanaal.

'Ajax, halt, zit!' schreeuwt Melanie. Ze laat zich op de grond vallen en strekt haar arm uit naar het hondje. Bijna heeft ze zijn ene achterpootje te pakken.

Ajax doet nog een stapje vooruit, en nog een, en net als Melanie hem wil grijpen, valt hij over de rand en verdwijnt in de diepte.

'Nééé!' krijst Melanie. 'Nééé!' Ze schuift op haar buik onder het hek door en kijkt in het water. Een witte vlek is het eerste wat ze ziet. Het beestje slaat met zijn pootjes en komt boven.

Hier langs de kant stroomt het water niet al te snel.

Melanie rekt zich uit zo ver ze kan, maar haar armen zijn niet lang genoeg. Ze kan het hondje niet pakken. Hij verdwijnt weer onder de oppervlakte en door het water heen ziet Melanie nog net zijn oogjes. Ze richt haar hoofd op. Door haar tranen heen ziet ze Luuk bij het hek staan.

'Luuk! Hij verdrinkt!' Ze kijkt weer in het water en schuift gevaarlijk dicht naar de rand.

Ajax spartelt zichzelf nog een keer naar boven, maar drijft nu verder het kanaal in, waar de stroming veel sterker is.

'Ajax, Ajax, néé,' huilt Melanie. Ze hangt zo ver over de rand dat ze bijna haar evenwicht verliest. Nog net weet ze zich vast te grijpen en tegelijk hoort ze een enorme plons! Ze schrikt op en kijkt naar het kanaal. Een ogenblik begrijpt ze niet wat er gebeurt, maar dan ziet ze Luuk in het water naar Ajax toe zwemmen. Met een paar sterke slagen is hij in de buurt van de hond, die opnieuw kopje-onder is gegaan. Luuk duikt, even ziet Melanie zijn voeten, wat geborrel en dan...

Luuks hoofd verschijnt, hij proest en daar is de kop van Ajax. Met twee handen houdt Luuk hem zo vast dat zijn bek boven water blijft en hij begint te zwemmen. Door de stroming van het water is hij wat afgedreven.

Melanie loopt mee langs de kant. Als Luuk vlak bij haar is, gaat ze op haar buik liggen en probeert Ajax van hem aan te pakken. Maar het is te diep en Luuk kan de hond niet ver genoeg omhoogtillen.

'Kun je hem opgooien?' bedenkt Melanie wanhopig.

'Nee nee, te zwaar. Dat hou je niet,' hijgt Luuk. Hij kijkt om zich heen en begint weer te zwemmen. Ajax ligt doodstil op de buik van Luuk, die op zijn rug tegen de stroom in zwemt. Zijn benen slaan krachtig door het water en stuwen hem vooruit.

'Waar ga je nou heen?' roept Melanie.

Luuk zegt niks, proestend ploetert hij verder. Dan ziet ze het. Het trapje, hij is op weg naar het trapje in de betonnen wand. Ze rent erheen.

Plotseling ziet ze ook haar vader aankomen met Bart en Julia. Met één blik overziet hij de situatie. Hij klimt langs het trapje naar beneden, houdt zich met één hand vast en buigt zich naar het water. Luuk tilt Ajax zo ver mogelijk omhoog en Melanies vader grijpt de hond in zijn nekvel. Met een reuzenzwaai tilt hij de druipnatte hond op de kant, waar het beestje roerloos blijft liggen.

Melanie valt op haar knieën en slaat haar armen om hem heen. 'Niet doodgaan, niet doodgaan,' huilt ze.

Haar vader duwt haar zachtjes opzij. 'Laat mij maar even.' Hij kijkt in de bek van Ajax, beweegt zijn pootjes heen en weer en bevoelt het lijfje.

Opeens gaat er een rilling door het dier en hij spuugt een golf water uit. Even later spartelt hij met zijn pootjes, draait zich op zijn buik en probeert op te staan.

Melanie wil hem helpen, maar haar vader houdt haar tegen. 'Geduld,' zegt hij.

Ajax hoest een beetje en draait zijn kop naar Melanie.

'Toe dan, ga maar staan,' moedigt ze hem aan. 'Je kan het best, toe maar.'

En hij kan het ook. Hij staat op en schudt zich eens lekker uit.

De spetters vliegen in het rond en Melanie krijgt een ongevraagde douchebeurt.

'Ja, lékker!' roept ze. Dan begint ze te lachen van opluchting. Ze kijkt om zich heen. In de verte ziet ze Jet aankomen met Niels en nog wat mensen die ze niet kent.

'Heeft mama gebeld,' zegt haar vader. 'Gaan de honden vangen.'

O ja, de andere honden. Helemaal niet meer op gelet door al dat gedoe met Ajax. En dan schiet er een gedachte door haar heen waarvan het koud wordt om haar hart. Luuk! Waar is Luuk? 'Luuk!' schreeuwt ze.

Haar vader doet een stap opzij en dan ziet ze hem staan, vlak bij het trapje naar het water.

Rond zijn voeten heeft zich een plasje water gevormd en zijn T-shirt en korte broek zitten tegen zijn lijf en benen geplakt. Zijn armen hangen slap langs zijn lijf en hij staart met een vreemde blik in zijn ogen naar Ajax. Hij mompelt iets.

'Wat zeg je?' vraagt Melanie.

Langzaam gaat zijn blik van het hondje naar haar. Bijna onmerkbaar schudt hij zijn hoofd, alsof hij zelf niet kan geloven wat hij gedaan heeft. Dan bewegen zijn lippen weer.

'Ik was helemaal niet bang.'

Daarna gebeurt er in korte tijd heel veel. Zo veel dat Melanie nauwelijks beseft wat Luuk eigenlijk precies gezegd heeft.

Haar vader stuurt hem naar huis. 'Gauw onder de douche, jij, en droge kleren aan!' Dan pakt hij Ajax op en draagt hem naar de badruimte in het dierentehuis. Melanie en Julia lopen mee.

Jet en Niels komen naar buiten met riemen en een zak hondenbrokjes. Zij gaan proberen de honden te vangen en Bart zal hen helpen.

Melanies vader zet de warmwaterkraan open en wijst waar de shampoo en handdoeken liggen.

'Julia en jij kunnen hem samen wel wassen. Goed schoonspoelen, afdrogen en föhnen. Ik ga helpen honden vangen.'

Ajax ondergaat de wasbeurt zo rustig alsof hij elke dag door hen gewassen wordt. Julia vindt hem schattig. Zij borstelt de vacht, terwijl Melanie föhnt.

Als hij stralend wit en schoon is, draagt Melanie hem in haar armen naar de hal. Op een bank zit haar vader met een politieagent te praten. En tussen die twee in...

'Alex!' roepen Melanie en Julia tegelijk.

De agent staat op. 'Dan zie ik jullie maandag op het bureau,' horen de meiden hem zeggen.

Melanies vader brengt hem naar de deur, waar Niels en Bart net binnenkomen. Ieder met een hond aan de riem. Melanie en Julia willen weten wat Alex beleefd heeft.

'Hij woont in de Trompstraat,' vertelt Alex. 'Eerst was ik hem bijna kwijt, maar over de brug zag ik hem opeens weer. Wat kan die gek fietsen, zeg! Maar ik durfde niet al te dicht bij hem te komen, want ik dacht: als hij me in de gaten krijgt, brengt hij me misschien op een dwaalspoor. Maar in die kleine straatjes bij de haven moest ik wel dichterbij, want daar kon hij natuurlijk alle kanten op. Op de hoek bij de Trompstraat zag ik dat hij een huis in ging. Ik durfde er niet langs om te kijken welk nummer het was, maar er staat zo'n struik voor het huis met paarse bloemen waar vlinders op afkomen. De politie is er nu heen!'

'Keigoed van je,' vinden de meiden.

Jet komt binnen met twee honden en een journalist. Ze brengt eerst de honden naar hun hok en vertelt dan in het kort wat er gebeurd is.

'Is dat het hondje dat in het kanaal gevallen is?' vraagt de journalist. Hij maakt meteen een foto van Ajax. 'En heb jij hem gered?'

'Nee, dat heeft Luuk gedaan,' vertelt Melanie. 'Maar hij is al naar huis.'

De journalist vertrekt en Jet pakt Ajax op.

'Ha lieverd, wat ben je mooi en wat ruik je lekker! Zeg maar waf tegen Melanie en Julia, want ik breng je nu weer naar je kooi!'

Als alle honden veilig en wel thuis zijn, praten ze met elkaar even na in de keuken.

Jet bedankt hen allemaal voor hun hulp. Ze is vooral erg blij dat Alex de dader heeft kunnen achtervolgen. 'Ik snap niet hoe hij hier is binnengekomen,' piekert ze. 'En al helemaal niet waarom hij die honden losgelaten heeft. Ze moeten ons wel hebben, eerst die graffitispuiter en nu deze dwaas.'

'Het was dezelfde man,' zegt Melanie.

'Hè???'

Alle hoofden draaien in haar richting en de een kijkt nog verbaasder dan de ander. Melanies vader is degene die vraagt wat ze allemaal willen weten.

'Hoe weet jij dat?'

Melanie realiseert zich meteen dat ze dit misschien beter niet had kunnen zeggen. Ze krijgt er een kleur van, maar kan nu niet meer terug.

'Eh... lang verhaal,' begint ze. En dan biecht ze alles op wat zij en Luuk dinsdagavond gedaan hebben. Als ze klaar is, blijft het even stil.

'Nou, dan moeten jij en Luuk maandag ook maar mee naar het politiebureau,' zegt haar vader.

Melanie schrikt zich wezenloos. 'Het politiebureau?' herhaalt ze, terwijl het kippenvel over haar armen trekt. 'Maar zo erg was dat toch niet?'

'Voor de aangifte,' legt haar vader uit. 'De politie zal jullie er geen straf voor geven. Maar ik... ik zal er eerst eens een nachtje over slapen.'

'Nou, dat hoef ik niet, hoor,' zegt Jet. 'Als jullie inderdaad de graffitispuiter ontmaskerd hebben, dan vind ik dat fantastisch! Wat moet die man kwaad zijn geweest over het in laten slapen van die pitbulls. Het is ook akelig. Mensen vinden hun eigen dieren nooit zo gauw agressief.' Ze staat op. 'Zullen we dan nu maar naar huis gaan? Ik ben doodop.'

'Sluit jij af?' vraagt de vader van Melanie. 'Mijn sleutels liggen thuis.'

Jet voelt in haar zakken. 'De mijne ook. Maar ik heb hier nog een reservebos.' Ze trekt de keukenla open en rommelt er wat in rond. 'Wat gek,' mompelt ze. 'Ik weet zeker dat hier...'

Maar hoe ze ook zoekt, de sleutels komen niet tevoorschijn.

Melanies vader weet raad. Hij laat Bart zijn sleutels ophalen, zodat het dierentehuis netjes afgesloten kan worden. 'Die reservesleutels komen vast wel weer boven water.'

Ze brengen Julia naar huis, Alex gaat zelf op de fiets en eindelijk stappen Melanie en haar vader hun eigen huis binnen. Daar zitten Melanies moeder en de moeder van Luuk te kletsen bij een kop koffie.

'Hè ja, koffie,' zegt Melanies vader.

'Is Luuk nog op?' Melanie staat al bij de keukendeur om naar hem toe te gaan.

'Nee. Hij heeft gedoucht en is meteen naar bed gegaan.' Luuks moeder staat op en knikt naar de moeder van Melanie. 'Dus dat is afgesproken?' Dan draait ze zich naar Melanie en kijkt haar met een geheimzinnig lachje aan. 'Tot morgen, hoor.' En weg is ze.

'Wat is afgesproken?' vraagt Melanie.

'O, niks,' doet haar moeder nonchalant. 'Eh... gewoon, hoe laat ze op visite komen.'

Melanie trekt een diepe rimpel in haar voorhoofd, maar een beter antwoord krijgt ze niet. Voor haar is het ook bedtijd.

HOOFDSTUK 13

Zondag 5 september, Melanies verjaardag. Ze is nog nooit zo laat wakker geworden op haar verjaardag als nu. Meestal staat ze voor dag en dauw te springen bij het bed van haar ouders en dan kruipt ze nog even tussen hen in. Maar nu is ze zo laat in slaap gevallen. De hele nacht hebben de beelden van de vorige avond door haar hoofd gespookt.

De honden die daar opeens door het park liepen, die engerd met zijn zwartleren jack en dat mutsje op, Alex die hem op zijn fiets achtervolgde, en natuurlijk Ajax en dan vooral het moment waarop hij over de rand van het kanaal verdween. Het was haast nog enger dan toen ze het echt meemaakte. Steeds opnieuw voelt ze zichzelf daar op die betonnen rand liggen en ziet ze de oogjes van Ajax, die van onder het wateroppervlak naar haar leken te kijken. Zó wanhopig! Alsof hij vroeg: Laat je me nou zomaar verdrinken?

En toen die plons! Dat Luuk dat dééd! Dat hij het durfde! Eigenlijk vindt ze het onbegrijpelijk dat ze zelf niet op het idee kwam om erin te springen. Hij wel!

Meestal lag ze de nacht voor haar verjaardag wakker van spanning om wat ze zou krijgen. Nu heeft ze er geen moment aan gedacht. Bovendien verwacht ze geen cadeautjes meer. Het cadeautje van Luuk is natuurlijk weer een knuffelhond.

Beneden hoort ze gerammel van borden en bestek. Ze rent

de trap af en ziet dat haar vader pannenkoeken staat te bakken.

'O, lekker,' roept ze. 'Van die dikke Amerikaanse waar de stroop zo lekker intrekt!'

'Goeiemorgen meissie, van harte gefeliciteerd met je verjaardag!' Hij knuffelt haar en draait zich snel weer naar de pan, waar een blauwe walm uit opstijgt.

De keukendeur staat open. Haar moeder is bezig de tuintafel te dekken voor het ontbijt. Melanie gaat naar haar toe en wordt nog eens uitgebreid geknuffeld.

'Bart ligt nog op bed zeker?'

'Zal zo wel komen,' denkt haar moeder.

Er staat een vruchtensalade van meloen en bramen op tafel, kaas en jam en een mandje met knapperige broodjes, en als haar vader de pannenkoeken erbij zet, kunnen ze beginnen.

Bijna beginnen. Haar vader is iets vergeten. Hij haast zich naar binnen.

'Cadeautje!' roept hij als hij terugkomt.

Toch nog een verrassing. Melanie scheurt het glanzende papier van het doosje: een dvd over honden! Ze geeft haar vader een dikke zoen, maar dan is het hoog tijd voor de pannenkoeken.

Melanie maakt een stapeltje op haar bord en giet er stroop over. Net als ze de eerste hap neemt, komt Luuk de tuin in lopen. Hij legt een cadeautje naast haar bord.

'Nah, gefeliciteerd.' Hij kijkt verlekkerd naar de pannenkoeken.

Melanies moeder snapt het meteen. 'Haal maar een bord in

de keuken.'

Melanie voelt met haar handen aan het pakje. Het is stevig, maar toch zacht. Er zitten rare uitsteeksels aan en het is ongeveer zo groot als twee schoenendozen op elkaar.

'Wat zou dát nou zijn?' doet ze verbaasd.

'Hahaha,' zegt Luuk, maar hij lacht niet. 'Maak nou maar open!'

Een ogenblik later zit Melanie met een knuffelhond op schoot. In haar ogen glinsteren dikke tranen. 'Hij is net echt,' snikt ze. 'Het is precies Ajax.'

Haar vader streelt haar wang. 'En net echt is niet echt, hè?'

Melanie haalt haar neus op. 'Maar hij is wel mooi. Dankjewel, Luuk.' Ze drukt de knuffel tegen haar wang en voelt dan iets geks. Om de rode halsband zit een briefje gevouwen. Ze peutert het los en maakt het open. Ze herkent Luuks handschrift.

'Dit is Ajax twee,' leest ze voor. *'Ajax één komt bij mij wonen. Hartelijk gefeliciteerd, Luuk.'*

Melanie kijkt naar Luuk, die aan zijn tweede pannenkoek begint, naar de lachende gezichten van haar vader en moeder en dan weer naar het briefje. Mompelend herleest ze de woorden, gooit dan het briefje in de lucht en begint ontzettend te gillen.

'Wááát! Oooh! Wat gááf!' Ze knuffelt haar moeder, timmert Luuk op zijn hoofd, springt door de tuin, danst een rondje met Luuks moeder, die net langs de vijver komt aangelopen, ziet een ontzettend slaperige Bart in de keukendeur staan en valt neer op haar stoel.

'Herrie is het hier,' bromt Bart.

'Ik krijg een hondje, ik krijg Ajax,' juicht Melanie. 'Wanneer gaan we hem halen, pap?'

Het is een rare verjaardag, waarbij Melanie voortdurend heen en weer pendelt tussen het huis van Luuk en dat van haarzelf. Natuurlijk hebben ze Ajax diezelfde ochtend nog opgehaald.

Normaal is het dierentehuis dicht op zondag, maar in dit speciale geval wilde Jet wel een uitzondering maken. 'Maar ik maak er geen gewoonte van, hoor!' dreigde ze lachend.

Alle visite – Melanies opa, haar ooms en tantes, neefjes en nichtjes – moet bij Luuk in de tuin Ajax komen bewonderen. Tussen de thee en de taart en de hapjes en de limonade door gaat Melanie met Ajax en Luuk in het park wandelen en ze vindt zichzelf het gelukkigste kind op aarde.

'Zo goed, dat je voor Ajax het kanaal in dook,' zegt ze.

Luuk lacht zijn sterrenlach. Niet voor Ajax, denkt hij. Maar dat zegt hij niet tegen haar.

De volgende ochtend knipt Melanies moeder een stukje uit de krant.

'Waar gaat dat over?' vraagt Melanie.

Haar moeder geeft haar het knipsel. 'Misschien leuk om op school voor te lezen.'

Er staat een foto bij. 'Ajax,' zegt Melanie verbaasd en haar ogen vliegen over de tekst.

In de klas vraagt de meester zoals gewoonlijk wie er wat wil vertellen. Melanie steekt het krantenknipsel omhoog. Ze krijgt de beurt en begint te lezen.

'Zaterdagavond heeft een twintigjarige man zich onrechtmatig toegang verschaft tot Dierentehuis Groenhove. Eerder op de dag had hij tijdens de drukte van de succesvolle sponsorloop kans gezien om de sleutels van het gebouw te stelen uit een keukenla. 's Avonds heeft hij de hokken van de honden opengezet. "Zodat de dieren hun vrijheid terug zouden krijgen," zoals hij verklaarde. De vermoedelijke dader is familie van de man bij wie enige tijd geleden elf honden in beslag genomen zijn. Hij kon aangehouden worden dankzij de oplettendheid van vier kinderen, die toevallig langs het dierentehuis liepen. Een van de vier achtervolgde de vluchtende man en kon de politie zijn verblijfplaats aanwijzen.

De politie onderzoekt nog of de vermoedelijke dader betrokken is bij het aanbrengen van graffiti op het gebouw.

De losgelaten honden zijn door medewerkers van het dierentehuis in veiligheid gebracht. Een blind hondje, dat in het kanaal terechtgekomen was, zou zeker verdronken zijn, als de elfjarige Luuk Verschoor niet in het water gedoken was om het dier te redden.'

'Dus we hebben een held in de klas,' zegt de meester. De klas juicht, zelfs Frederieke doet voluit mee. Luuk ondergaat de hulde met een grijns. Hij werpt een snelle blik op Melanie, die glimt van trots. Want alleen zij tweeën weten hoe dapper hij werkelijk was.